CHR

Christian Signol est né dans le Quercy et vit à Brive, en Corrèze.

Deux veines dans son œuvre : celle des grandes sagas populaires en plusieurs tomes (de *La Rivière Espérance* aux *Messieurs de Grandval* en passant par *Les Vignes de Sainte-Colombe*, prix Maison de la Presse 1997) et celle des œuvres plus intimistes, récits ou romans, tels que *Bonheurs d'enfance, La Grande Île, Ils rêvaient des dimanches* ou *Pourquoi le ciel est bleu*. Depuis trente ans, son succès ne se dément pas. Ses livres sont traduits en 15 langues.

LES CHEMINS D'ÉTOILES

CHRISTIAN SIGNOL

LES CHEMINS
D'ÉTOILES

ROBERT LAFFONT

© Éditions Robert Laffont, S.A., Paris, 1987
ISBN : 978-2-266-25655-1

À Caroline, Marilyne,
Sophie, Nicolas, mes enfants.
À Justyn Winner, mon filleul.

« ... Je me dis, dans l'extase et dans l'effroi sacré,
Que peut-être, là-haut, il est, dans l'Ignoré,
Un dieu supérieur aux dieux que nous rêvâmes.
Capable de donner des astres à des âmes. »

VICTOR HUGO *(Choses du soir)*

1

L'enfant regardait par la vitre la grande plaine ouverte à l'infini, le bleu du ciel et de lointains nuages. Le vert des haies couronnées d'aubépines délimitait des champs de blé, des maïs blonds et des pâtures. Tout près, à une centaine de mètres de la voie ferrée, un troupeau somnolait en lisière d'une prairie mouchetée de boutons-d'or. Au loin, un cheval attelé avançait lentement sous des saules et des trembles, une voiture noire fumait aux portes d'un village où des pigeons tournaient au-dessus du clocher.

L'enfant sentit sur lui le regard de sa mère. Sans quitter la plaine des yeux, il se demanda si elle aussi s'inquiétait du terme de leur voyage, mais n'en laissa rien paraître. Cette pensée le ramena pourtant vers le soir où son père avait dit :

— Il faut que nous partions pour un long voyage. Nous ne pouvons pas t'emmener, mais nous reviendrons te chercher le plus vite possible, je t'en fais la promesse.

Et, comme il ne répondait rien :

— C'est notre destin de toujours aller plus loin, l'Éternel l'a voulu ainsi, comprends-tu ?

Il n'avait pas compris pourquoi il devait rester seul, mais il avait dit « oui », certain qu'une révolte eût été inutile.

Fermant les yeux, il revit la grande ville quittée la veille, sa maison au fond d'un jardin fleuri de roses trémières, la salle à manger meublée de fauteuils aux dorures savantes, d'une table ronde à nappe blanche, du chandelier à sept branches que côtoyait le livre pieux sur des taleths de soie. Il écoutait la nuit qui tombait doucement. Les boucles brunes de sa mère dansaient chaque fois que la porte du jardin grinçait, le temps s'arrêtait, elle lui disait :

— Il ne va plus tarder.

Et puis, plus bas, en lui glissant dans la bouche deux délicieux « kugels » à la confiture :

— Tu seras bien, là-bas ; papa a eu l'adresse par un ami : ce sont des gens tout à fait comme il faut.

Elle revenait au piano, se remettait à jouer, il s'attachait au profil tourmenté que la musique embellissait, ne parlait pas, trop content de sentir se tisser autour de lui le cocon protecteur qu'il espérait. De temps en temps, elle marchait vers la fenêtre dont elle soulevait le rideau, murmurait :

— Dieu éternel, quelle folie !

Alors il la rejoignait, serrait dans ses doigts sa robe de velours, se retenait de respirer. C'étaient des nuits sans lumière, pleines de peurs. Dehors, la ville bruissait de menaces et de colères inexplicables. Un soir, un orage de feu avait crevé sur les toits et des hommes avaient forcé la porte des maisons. Ils avaient cassé des meubles, et cogné, et frappé ; la nuit était devenue folle. Ils étaient repartis longtemps après, hideux et fiers. L'enfant avait vu le sang sur le front de son père, lu quelque chose d'indéfinissable dans ses yeux noirs et qui l'avait brûlé. Celui-ci avait dit en s'essuyant :

— Il ne faut plus attendre, vous partirez le plus tôt possible.

Puis, très vite, en lui caressant les cheveux :

— Il ne faudra jamais donner ton nom, *Kindélé*[1], mais il ne faudra jamais l'oublier.

Il y avait de cela, lui semblait-il, mille ans.

Le train franchit un pont sous lequel coulait une rivière semblable à celle qu'ils avaient franchie la veille en bateau, en compagnie d'un homme silencieux. C'était dans un pays profond, plein de murmures et de soupirs. Ils avaient accosté au flanc d'une colline plus noire

---

1. Diminutif affectueux du mot « enfant » (yiddish).

que la nuit, dans un vallon qui sentait le lilas. L'homme les avait laissés sur la rive, puis il était reparti après avoir reçu son argent et indiqué la direction à prendre : il ne fallait pas escalader la colline mais la longer, vers le sud, par un chemin qui s'enfonçait, un peu plus loin, dans des terres où chantaient les grillons. Ils avaient marché deux ou trois heures, sa mère le traînant par la main, jusqu'au plus proche village dont les lumières avaient semblé longtemps les fuir. A l'entrée de celui-ci, une voie de chemin de fer les avait conduits vers la gare, et ils avaient dormi dans un vieil hôtel situé sur la place, dans le même lit, la fenêtre ouverte sur la campagne dont les parfums arrivaient par bouffées.

Au lever du jour, avant de repartir, elle avait profité de leurs derniers moments de solitude pour lui renouveler ses recommandations : d'abord se souvenir qu'il n'était plus David mais Daniel, ensuite oublier la nourriture casher, le jeûne du Yom Kippour, le schabbat du samedi, ne jamais se déshabiller entièrement, et surtout s'efforcer de ressembler aux enfants du village. Après, plus tard, quand l'épreuve serait finie, il pourrait redevenir lui-même.

Ils avaient repris le train vers neuf heures et le paysage avait rapidement changé derrière la vitre : les plaines de la veille s'étaient transformées en prés et en bocages, des bourgades

14

aux maisons serrées autour de leur église s'étaient succédé toute la matinée, et l'enfant avait découvert un monde inconnu, lui qui n'avait jamais vécu que dans la grande ville.

A midi, le compartiment s'était animé. Les femmes avaient sorti de leurs paniers des serviettes à carreaux que les hommes avaient dépliées sur leurs genoux, des victuailles dont l'odeur acide s'était répandue en un instant et dont la vue avait fait saliver l'enfant. Sa mère lui avait donné deux sandwiches au poulet qu'il avait mangés en prenant soin de ne pas salir ses vêtements propres. Il avait bu dans un gobelet de métal de la limonade tiède, indifférent aux conversations qui roulaient sur le temps et les récoltes. Perdu dans ses pensées, il avait regretté de ne pas assister à la fête de Chavouoth qui approchait. Il ne respirerait plus le parfum des fleurs et de la verdure dont sa mère décorait la maison à cette occasion, ne mangerait plus la fameuse carpe farcie dont il rêvait depuis longtemps. Cette fête représentait pour lui-même et ses parents une journée de réjouissances et de prières, mais beaucoup plus encore : une sorte de complicité, de communion les unissait, lui semblait-il, pour toujours. Et l'enfant aimait ces moments, ces heures où la confiance en l'avenir effaçait toute peur. Pourquoi aujourd'hui l'éloignaient-ils ? Pourquoi cet abandon ? Fallait-il que le risque fût grand ! Il ne le définissait pas clairement, mais il avait conscience d'un danger immédiat et de la nécessité de fuir, même si c'était pour une destination inconnue et lointaine.

Sa mère le tira de ses pensées en disant :

— Ils ont une petite fille de ton âge, elle s'appelle Lisa.

Il la remercia d'un sourire : c'était peut-être la dixième fois qu'elle prononçait ces mots. Il aperçut des îlots de fleurs blanches au milieu des prairies, un char tiré par des bœufs sur un chemin poussiéreux, puis le train ralentit. Les voyageurs, qui s'étaient assoupis après le repas, s'ébrouèrent. Deux femmes en chapeau et tablier noir se saisirent de leur malle en osier et se dirigèrent vers la tête du wagon.

— Nous arrivons, dit la mère, levons-nous.

Et comme il sursautait :

— Il le faut, *Kindélé,* il le faut.

Avant de le lâcher, elle le serra plus fort et il garda en lui un peu de sa précieuse chaleur. Le train ralentit, souffla, hoqueta, s'arrêta enfin devant une gare aux murs ocre entourée de platanes. L'enfant suivit sa mère en repoussant de toutes ses forces l'angoisse qui montait en lui. Juste devant eux, un homme sauta sur le quai plein de bruits et de lumière. La mère et l'enfant descendirent à leur tour. Celui-ci, ébloui, regarda autour de lui. Des pépiements d'oiseaux jaillirent des platanes. Deux hommes s'embrassèrent en se tapant dans le dos, d'autres s'apostrophèrent en des termes incompréhensibles. Des femmes poussèrent des cris, puis s'attendrirent devant un bébé en barboteuse. Un chef de gare coiffé d'un képi bleu fit reculer tout le monde. L'enfant n'eut pas le temps d'examiner davantage les lieux, car un homme de taille moyenne, au front haut, aux cheveux bruns légèrement frisés, aux yeux noirs, s'était approché d'eux.

— Je suis Alphonse Lachaume, dit-il; je suis venu vous chercher.

Il salua la mère, passa une main rude dans les cheveux de l'enfant qui remarqua les fines moustaches au-dessus du mégot jaune et la moue dédaigneuse dessinée par la lèvre inférieure. Une puissance fruste et animale émanait de cet homme dont les muscles roulaient sous le maillot de corps. Elle rappela à l'enfant une vague rencontre qui était associée à un mauvais souvenir. Il chercha vainement dans sa mémoire, crut déceler une lueur hostile dans le regard vif et malicieux, mais repoussa cette pensée. L'homme saisit la poignée des deux valises, les souleva sans effort, marcha vers la gare, traversa un hall encombré de paquets et de malles et s'arrêta enfin devant une charrette attelée à un cheval sous un marronnier.

— Installez-vous, fit-il, je reviens dans une minute.

L'enfant monta sur le marchepied, s'assit sur la banquette, tendit la main à sa mère, ravi : c'était la première fois qu'il voyait un cheval de si près, la première fois aussi qu'il utilisait ce moyen de transport, son père possédant une Delage bleue.

L'homme revint très vite, sauta lestement sur le marchepied, interpella une jeune femme qui détourna la tête, partit d'un grand rire en s'exclamant :

— *En vas ? Din la juque* [1] ?

Il alluma son mégot sans cesser de rire, essuya sa moustache qui sentait le roussi, manœuvra la manivelle du frein, tira sur les rênes en criant :

— Hue !

L'enfant, surpris, se demanda en quelle langue s'était exprimé l'homme. Tout en réfléchissant, il s'interrogea : pourquoi ses parents ne lui avaient-ils pas parlé de ce langage inconnu ? Mais il se rassura très vite en se disant que le conducteur savait aussi le français et, comme la charrette s'ébranlait doucement, il chercha le regard de sa mère.

— C'est à dix minutes, dit l'homme, nous y serons bientôt.

La mère hocha la tête, entoura de son bras les épaules de son fils.

1. Où vas-tu ? Dans le foin ?

18

— Quel âge a le petit ? demanda l'homme.

— Dix ans.

— Et comment il s'appelle ?

— Daniel.

L'enfant devina dans les réponses de sa mère une sorte de réserve qu'il ne comprit pas, mais il l'oublia, passé les dernières maisons du village, dès l'instant où le cheval prit un chemin entre des maïs hauts. Là, des oiseaux inconnus s'envolèrent à l'approche de la charrette, et l'enfant les suivit du regard jusque sous les frondaisons de grands arbres au vert sombre.

— Il sera bien chez nous, le petit, dit l'homme. Tout le monde vous le dira : la ferme du Verdier, c'est une bonne maison.

— Nous le savons, dit la mère, c'est un ami qui nous a donné votre adresse ; il connaît vos parents.

— Oh ! moi, je suis le gendre seulement. Lachaume, c'est pas mon nom, mais comme j'ai épousé la fille unique, on m'appelle toujours comme ça.

— Vous avez une petite fille, n'est-ce pas ? demanda la mère.

— Oui, c'est Lisa.

— Elle a le même âge que mon fils, je crois.

— A peu près, oui.

L'enfant n'écoutait pas ; il n'avait pas assez d'yeux pour tout voir, tout apprivoiser, tellement ce monde lui semblait différent de celui qu'il avait quitté la veille. Passé les champs de maïs, il aperçut une rivière coulant au loin derrière les arbres, des vaches couchées dans un pré à l'ombre d'une haie, d'autres oiseaux inconnus aux ailes grises. Après être sortis du couvert des frênes, les voyageurs retrouvèrent la chaleur accablante de juin qui oscillait en plages translucides. Le chant des grillons devint lancinant. La route se fraya un passage entre les champs de blé et de tabac. Sur la gauche, de très hauts peupliers isolaient la rivière d'un verger en fleurs.

— C'est la Dordogne, dit l'homme en désignant de la main le fil argenté qui scintillait entre les feuilles.

Et, comme pour devancer les questions :

— Ici, c'est la vallée, mais vous voyez ces collines, là-bas, c'est le causse : la Dordogne a creusé son lit au milieu.

L'enfant, qui se sentait ivre d'espace et de verdure, devina des collines crayeuses, distingua des falaises à pic au-dessus de la vallée. L'homme donna une ample secousse du poignet, et le cheval se mit au trot.

— Il s'appelle Pompon, dit l'homme en le désignant d'un signe du menton.

L'enfant sourit, puis il reporta son attention sur le mouvement souple de la queue et le balancement régulier de la croupe brune.

— On arrive, dit l'homme. Ce toit de tuiles derrière les pâturages, c'est le Verdier.

— Et ce village, à droite, là? demanda la mère.

— C'est Florac. On y trouve tout ce qu'il faut : la boulangerie, l'épicerie, le bistrot, la mairie, l'église, mais, vous savez, nous vivons beaucoup sur nous-mêmes, comme tous les gens de la terre.

— Il y a bien une école, n'est-ce pas?

— Pardi qu'il y a une école! Mais vous parlerez de tout ça avec ma femme, elle vous expliquera mieux que moi.

La mère n'insista pas, se tut, un peu surprise. La charrette tourna à droite, longea un pré couvert de boutons-d'or.

— Nous y voilà, dit l'homme en s'adressant à l'enfant et en le dévisageant avec cet air moqueur qui devait lui être naturel.

Celui-ci, mal à l'aise, détourna la tête, chercha à attirer l'attention de sa mère qui lui parut lointaine. La charrette vira de nouveau à droite, après un terre-plein surmonté d'une croix au socle de pierre, s'engagea dans la propriété par un chemin poussiéreux dont les fossés étaient fleuris de coquelicots.

La ferme dissimulait ses volets bleus derrière des pruniers et des pêchers aux fruits encore verts. C'était un long bâtiment prolongé par une grange et, à angle droit, par un séchoir à tabac et une remise. Dans la cour, un tilleul ombrageait un puits surmonté d'un petit toit de tôle; des poules et des canards s'ébattaient près d'un tas de fumier dont l'écoulement noirâtre serpentait vers une rigole qui s'écoulait derrière la soue des cochons. Le grenier entrouvert de la grange vomissait un surplus de foin. Le séchoir à tabac, dont les portes à deux battants étaient ouvertes sur une pénombre mystérieuse, semblait un antre redoutable. Sous la remise, une machine griffue et une charrue dont le timon reposait sur le sol paraissaient hors d'usage. La cheminée de la maison fumait au-dessus du toit de tuiles rousses.

Au bruit de la charrette, deux chiens accoururent en aboyant et ne cessèrent pas, malgré les cris du conducteur. Celui-ci descendit, donna un coup de pied au chien le plus proche en jurant, et ils disparurent, la queue basse, dans la remise d'où ils étaient sortis. L'homme aida alors les voyageurs à descendre, puis il dit, en désignant une femme à chignon, boulotte, portant un tablier à fleurs :

— C'est Rose, ma femme.

L'enfant serra une main chaude et rencontra des yeux noisette à la bonté placide. Leur léger strabisme accentuait l'impression de jovialité qui émanait des joues pleines et d'un corps plantureux dont les bras nus, très courts, s'agitaient en tous sens.

— Entrez, dit Rose, on vous attendait.

Précédé par sa mère, l'enfant pénétra dans une pièce sombre dont le parquet vétuste supportait difficilement des meubles de bois ciré. Au fond, une cheminée noire de suie abritait une crémaillère et un chaudron de fonte posé sur un trépied. Au-dessus d'elle, sur une longue étagère couverte d'une toile cirée au rouge passé, des boîtes de café, de sucre, de sel et de Phoscao étaient alignées sans ordre apparent. Deux tue-mouches pendaient d'un plafond noir, couverts de taches sombres. Au centre, une grande table était habillée de la même toile cirée à carreaux rouges, et sur celle-ci des miettes de pain témoignaient d'un repas récent. A gauche, un évier de pierre contenait une bassine qui recueillait l'eau d'un godet placé sur le seau. Face à l'entrée, sur un buffet double, une cafetière au bleu émaillé paraissait interroger le miroir qui, de l'autre côté de la pièce, était accroché à droite de l'évier, au-dessus d'un essuie-mains usagé.

Ses yeux s'étant accoutumés à la pénombre, il sembla à l'enfant deviner une silhouette noire dans un coin de la cheminée.

— C'est la grand-mère, dit négligemment Alphonse en posant les valises.

L'enfant distingua alors une vieille femme assise sur un petit banc de paille près du foyer. Il suivit sa mère qui s'approchait et, comme elle, tendit la main. Mais deux bras vigoureux se saisirent de lui et aussitôt deux baisers claquèrent sur ses joues.

— A la bonne heure! dit une voix chaude. Tu es un beau petit.

— Bonjour, madame.

— Oh! ici on fait pas de manières. Appelle-moi mémé, va, dit la vieille femme en lâchant son bras.

Il recula d'un pas, la vit beaucoup mieux, toute ronde avec un petit chignon gris, des fossettes aux joues, des yeux noirs et lumineux à la fois. Tous ses traits, dans son visage creusé de rides, révélaient une énergie dont sa fille était dépourvue. Pourtant, sous le corps sain et robuste, les jambes, plus maigres, surprenaient au premier regard.

— Voilà cinq ans que je ne marche plus, dit-elle, mais c'est pas une raison pour avoir peur de moi. Tu verras, je suis sûre qu'on s'entendra bien tous les deux.

Elle ajouta, joignant les mains, comme pour elle-même :

— *Sento Bierzo!* Qu'il est beau ce petit!

L'enfant hocha la tête, sourit sous le compliment, non sans s'interroger sur le sens de l'expression patoise. Rose se saisit d'une bouteille et de quatre verres dans le buffet, soupira :

— *Oh la yéou!* qu'il fait chaud aujourd'hui!

Et, s'adressant à la mère :

24

— Ma pauvre, vous avez dû fondre sur la charrette.

— Fais-la plutôt asseoir, dit la grand-mère, elle doit en avoir besoin.

Rose désigna à ses hôtes une place sur le banc, s'assit elle-même de l'autre côté, près de son mari déjà attablé.

— Je ne vois pas votre petite fille, dit la mère en souriant.

— Elle fait la sieste, répondit l'homme avec une précipitation excessive, comme s'il avait voulu devancer les deux femmes.

Il versa du vin dans les verres, mais la mère l'arrêta au moment où il allait remplir celui de son fils.

— Pas d'alcool pour lui, dit-elle, il n'en boit jamais.

— Un peu de vin n'a jamais fait de mal à personne, protesta Alphonse.

— S'il vous plaît, répéta la mère, pas de vin pour l'enfant.

— Vous avez raison, dit la grand-mère, il faut pas changer les habitudes des enfants, ça les contrarie.

La mère remercia d'un sourire, ajouta, baissant la voix, après une hésitation :

— De même pour la nourriture : si Daniel ne veut pas d'un plat, je vous demande de ne pas le forcer.

Il y eut un bref silence, puis la grand-mère déclara :

— Vous inquiétez donc pas, madame, le petit n'aura qu'à demander ; on trouvera toujours à s'arranger.

— Merci beaucoup, dit la mère ; pour le reste, vous agissez comme si c'était votre propre enfant, je crois que c'est la meilleure solution.

— Pardi que c'est notre enfant ! dit Rose. Manquerait plus que ce petit soit malheureux chez nous !

La conversation rebondit, mais Daniel, rassuré par cette entrée en matière, cessa d'écouter. Il observait Rose assise face à lui, ses gros bras un peu flasques, ses joues pleines et ses grands yeux candides en se demandant pourquoi, malgré leurs différences, elle ressemblait quand même à sa mère. Il renonça à trouver, ses yeux revinrent sur sa mère à lui, et il prit brusquement conscience du fait qu'il allait se retrouver seul pour la première fois de sa vie avant moins d'une heure. Et pour combien de temps ? Ce n'était pas un voyage ordinaire puisque ses parents partaient en bateau sur la mer. N'allaient-ils pas rencontrer des tempêtes ou sombrer dans cette sorte d'ouragan fou qui semblait souffler sur le monde ?

Le choc du verre reposé par Alphonse le tira de ses pensées. Il remarqua que le visage de sa mère était tendu, presque douloureux.

— Si on parlait un peu affaires ? fit brusquement Alphonse.

La mère sursauta, s'empara de son sac à main.

— Je vais vous payer tout de suite, dit-elle.

— C'est pas pressé, dit la grand-mère dont le regard réprobateur s'était posé sur son gendre.

— Mais si, c'est tout à fait normal.

Puis, comme si, tout à coup, la présence de son fils la gênait :

— Tu devrais aller jouer dehors, il fait si beau...

L'enfant la regarda, hésitant.

— Oui, approuva Alphonse, va donc te promener, les chiens sont pas méchants.

L'enfant se leva lentement, poussa le portillon qui interdisait l'entrée aux volailles, sortit dans la lumière de l'été. Il tituba un peu, ébloui par une luminosité à laquelle il n'était pas habitué. Cherchant l'ombre, il se dirigea vers la remise où les chiens se dressèrent, menaçants. Terrorisé, il ne bougea plus, laissa les bêtes flairer ses mollets nus et, comme il ne se passait rien, il avança, s'assit sur le timon de la charrue à l'abandon. Les chiens se frottèrent contre lui, et il se hasarda à les caresser, frissonnant légèrement au contact des poils chauds. Tout paraissait dormir. L'absence de bruit, rehaussée par le bourdonnement des insectes, semblait accentuer la chaleur. Quel silence ! Quel contraste avec la

grande ville, et quel monde étrange aussi ! Pour
la première fois depuis que la peur était entrée
en lui, il se sentait comme apaisé, presque en
sécurité. Le souvenir de l'étoile jaune cousue
sur le revers de son tablier lui parut s'estomper.
Il ferma les yeux, soupira. Il lui sembla que les
tremblements incessants qui agitaient son corps,
la nuit, ne viendraient plus jamais le réveiller. Il
demeura ainsi pendant quelques minutes, puis,
curieux de découvrir son nouvel univers, il
quitta le hangar et marcha vers l'étable, un chien
sur ses talons. Les poules et les canards s'écartèrent devant lui, dédaigneux. Il poussa la porte
de l'étable, regarda à l'intérieur : une dizaine de
vaches alignées dans des stalles tiraient noncha-
lamment du foin des râteliers, au-dessus desquels planaient d'immenses toiles d'araignée. Il
hésita à entrer, s'y risqua et dit :

— Je suis Daniel.

Quatre ou cinq vaches tournèrent vers lui des
yeux qui le firent penser à ceux de Rose.

— Il fait chaud, ajouta-t-il.

Les vaches se détournèrent. Il sortit, se heurta
à un vieil homme qui paraissait s'éveiller.
C'était un être rond, au visage lisse, aux yeux
très bleus, qui portait un chapeau de paille et un
pantalon de toile maintenu à la taille par une
ceinture de flanelle.

Il semblait se déplacer difficilement, car une
douleur lui arrachait à chaque pas un rictus qu'il

28

s'efforçait de dissimuler sous un perpétuel sourire.

— *Et cu coï aquel drolle ?* demanda-t-il d'un air étonné.

Puis, comme l'enfant ne comprenait pas :

— Et qui tu es, toi ?

— Moi ? je suis Daniel.

— Ah ! fichtre ! C'est toi le petit Parisien qu'on attendait ? Vois comme je perds la tête : j'avais déjà oublié.

Il posa sa main droite sur l'épaule de l'enfant. L'espace d'un instant, celui-ci eut envie de la saisir, mais il n'osa pas. Comme il ne bougeait pas, le vieil homme lui dit :

— Moi, je suis Baptiste, le pépé de Lisa. Je suis sûr qu'elle te fera fête, la pauvre. Mais pour le moment, tâche de te mettre à l'ombre ; dès qu'il fera un peu moins chaud, on ira faner.

Il déplaça son chapeau de paille d'avant en arrière à plusieurs reprises, murmura quelques mots incompréhensibles, puis il disparut dans la grange. L'enfant revint vers la remise en se disant que ces gens parlaient sans doute mal le français parce qu'ils l'utilisaient seulement avec les étrangers. Il se demanda ce que signifiait l'expression « aller faner », essaya d'imaginer cette Lisa dont il entendait si souvent le nom sans jamais la voir, retrouva les chiens qui, de nouveau, vinrent le flairer avec circonspection. Il tenta de se souvenir des mots employés par le grand-père, mais n'en eut pas le temps, car sa mère apparut brusquement sur le seuil. A cet instant précis, il comprit que la séparation tant redoutée allait se produire, et plus vite qu'il ne l'aurait cru. Elle lui parut tout à coup tellement impossible qu'il fut incapable d'avancer. Sa mère se dirigea vers lui et il eut l'impression que c'était la dernière fois. Elle s'agenouilla devant lui, le serra contre elle, murmura :

— Il faut que je parte, *Kindélé*.

— Déjà...

— Oui, déjà, le train n'attendrait pas.

— Mais tu reviendras ?

Elle mit plusieurs secondes à trouver la force de soutenir son regard.

— Bien sûr que je reviendrai, dit-elle, et nous vivrons de nouveau tous les trois.

L'enfant sentit des picotements dans ses yeux et, se forçant à sourire, souffla :

— Qu'est-ce que c'est bien ici !

Elle détourna son regard qui s'était voilé, l'attira de nouveau contre elle en le serrant plus fort.

— Que Dieu te bénisse, David, dit-elle... Et quoi qu'il arrive, ne nous oublie pas.

Elle ajouta, comme il était incapable de parler :

— Il faudra bien travailler à l'école. Et si... si...

Elle ne put achever. Il revit en un éclair son

30

père au moment du départ : « Il ne faudra pas pleurer, avait-il dit, car si l'Éternel nous met à l'épreuve, c'est pour que nous soyons plus forts, que nous devenions meilleurs et que nous combattions le mal qui lui est étranger. »

L'enfant se détacha lentement de sa mère, avala sa salive, tandis qu'elle murmurait :

— *Yié tov,* mon fils[1].

Il hochait la tête, ne sachant que dire, pris dans un étau qui était sur le point de l'étouffer, et elle ne se décidait pas à partir.

— Vous allez manquer le train, cria Alphonse, assis sur la charrette qui attendait près de l'étable.

La mère caressa les joues de son fils qui se retint de se précipiter contre elle.

— *Yié tov, mama,* souffla-t-il.

Elle l'embrassa une nouvelle fois, très vite, puis elle se redressa et, sans se retourner, marcha vers la charrette sur laquelle Alphonse l'aida à monter. Songeant à son père, l'enfant respira profondément et repoussa de toutes ses forces l'envie de courir vers sa mère. Alphonse agita les rênes et le cheval se mit en route en secouant son encolure. Les grelots du harnais tintèrent joyeusement. Quand l'attelage passa devant l'enfant, sa mère tourna un bref instant la tête vers lui, fit un signe furtif de la main. Il voulut

1. Tout ira bien, mon fils.

l'appeler, mais ne le put. L'attelage s'engagea sur le chemin, disparut très vite derrière les arbres. L'enfant fit quelques pas dans sa direction, courut un instant puis s'arrêta. Tête baissée, les poings serrés, il revint lentement vers la ferme qui était désormais sa maison.

Il se laissa guider par Rose qui l'entraîna dans la cuisine où il demeura bras ballants, immobile.

— Viens donc ici, *pitiou,* lui dit la grand-mère, tu verras que tu ne languiras pas chez nous.

Il s'installa sur le banc de paille, de l'autre côté du foyer, face à elle.

— Tu vas manger un peu de pain et de confiture de groseilles, ça te fera du bien.

Il refusa, précisant qu'il n'avait pas faim du tout.

— La confiture, ça se mange sans faim, simplement pour le plaisir, insista la grand-mère.

Et, s'adressant à sa fille qui observait l'enfant d'un œil attendri :

— Rose, donne donc une tartine au petit, ça lui fera une avance pour le « quatre-heures ».

Il n'osa pas refuser davantage et il attendit, les yeux baissés sur les sabots et les bas, noirs comme la plaque de fonte sur laquelle reposait le foyer, se demandant s'il serait capable d'avaler la moindre bouchée.

— Je te fais pas peur tout de même ?
demanda la grand-mère.

Il fit signe que non, ne sachant leur dire
combien, au contraire, leurs présences attention-
nées lui étaient précieuses.

Rose lui donna une tranche de pain recouverte d'une gelée parfumée. Il mordit dans la
croûte et saliva de plaisir : c'était aussi délicieux
que des kugels.

— Ici, on aime bien manger, tu sais, dit la
grand-mère.

Et, se tournant vers sa fille, qui les considérait
en souriant :

— Va donc réveiller la petite, qu'ils fassent
connaissance.

Rose hocha la tête, parut hésiter.

— Allez, va ! fit la grand-mère impatientée.

Rose soupira, tourna les talons sans se presser. Une porte claqua. Deux ou trois minutes
passèrent durant lesquelles la grand-mère
demeura silencieuse en examinant l'enfant, puis
elle dit d'un ton enjoué :

— Je m'appelle Julia. C'est pas un petit nom
de la ville, ça, t'as pas dû l'entendre souvent.

Daniel secoua la tête, se demanda s'il devait
parler de son oncle Julius, mais il y renonça.

— Espère un peu, reprit la grand-mère, bientôt tu trouveras les groseilles toi-même, et puis
les mares, les prunelles, les champignons de
rosée et tu deviendras un vrai gars de chez nous.

L'enfant se redressa, chercha des mots pour remercier. Julia se pencha en avant, lui tapota les joues, soupira.

— Si ça n'avait tenu qu'à moi, dit-elle, cette maison aurait été pleine d'enfants. Enfin, à chacun son lot de misères !

Daniel se demanda ce qu'elle voulait dire par là, mais il n'eut pas le temps d'y réfléchir davantage : Rose revenait, traînant une petite fille aux yeux ensommeillés derrière elle.

— Tiens, dit la grand-mère en prenant la petite par l'épaule, voilà notre Lisa.

Et, comme ni elle ni lui, trop intimidés, n'esquissaient le moindre geste :

— Elle est née pas très dégourdie, tu sais, il faudra pas lui faire du mal.

Surpris par le regard d'une insondable profondeur où brillaient des paillettes chaudes et dorées dans le marron presque noir de l'iris, il acquiesça de la tête en murmurant :

— Bonjour.

Rose s'était agenouillée.

— Elle te répondra pas, dit-elle, mais elle est pas méchante.

Il continuait de dévisager la fillette au front haut, à la peau mate, aux cheveux de paille emmêlés et dont les yeux ne cillaient pas. Il ne parvenait pas à définir ce qui la rendait différente des filles de son âge. Elle s'approcha tout à coup, tendit la main, toucha le bras du garçon, puis son cou, son menton, ses lèvres où sa main s'arrêta. Il n'osait plus bouger, souriait quand même. La bouche de la fillette s'ouvrit, puis se ferma, s'ouvrit de nouveau, lentement, à plusieurs reprises. Daniel interrogea Julia du regard, et celle-ci le rassura :

— Elle te parle, tu sais, mais dans son langage à elle. C'est comme si elle était restée tout enfant, tu comprends ?

Elle ajouta, après que Daniel eut fait « non » de la tête :

— Quand elle était petite, elle pleurait jamais. Elle nous regardait comme ça, avec ses beaux yeux, et nous on se rendait pas compte qu'elle était trop sage, la pauvre. On s'est aperçu un peu plus tard que quelque chose n'allait pas. Et c'est vrai qu'elle n'est pas tout à fait comme nous : le docteur a dit que ça s'était passé à la naissance, qu'elle avait trop souffert. En tout cas, elle est restée un peu « innocente ». Mais je suis sûre que vous ferez bon ménage.

Daniel n'écoutait pas. Il continuait de la dévisager, incapable de se dérober à l'attraction de ces yeux qui semblaient ouverts sur un autre monde. Et puis, subitement, Lisa lui prit le bras en essayant de le tirer vers elle.

— Suis-la donc, dit la grand-mère, je crois bien qu'elle veut te montrer quelque chose.

Tenant d'une main sa tartine de pain, il se laissa entraîner dans la cour par la fillette. Là, le saisissant par la manche, elle le força à la suivre dans la grange dont elle poussa la porte du pied. A droite de l'entrée, une chienne et ses chiots dormaient dans un petit enclos. Lisa se tourna vers lui, les yeux illuminés, trépignant en ouvrant la bouche comme pour lui faire partager son excitation. Que désirait-elle ? Il ne comprenait pas, mais il souriait, un peu gêné cependant. Il n'avait jamais vu de chiots, et le spectacle de leurs bouches impatientes sur les tétines l'étonna. La petite le lâcha soudain et, sans plus s'occuper de lui, enjamba la barrière de bois, s'allongea entre les chiots, posa sa tête sur le ventre de la chienne qui n'en parut pas surprise. Déconcerté, Daniel regardait de tous côtés, ne sachant s'il devait appeler quelqu'un ou s'il était habituel, pour les enfants de la campagne, de se conduire ainsi. Après une hésitation, il essaya de franchir la barrière, mais la chienne montra les crocs. Il recula, attendit quelques instants. Comme Lisa l'ignorait maintenant et fermait les yeux, il sortit lentement dans la chaleur oppressante, et rencontra le grand-père qui se dirigeait vers l'étable.

— Elle est avec la chienne, cette *coquinaïre,* dit ce dernier, que veux-tu, les bêtes la comprennent mieux que nous ; mais il faut pas la laisser trop longtemps, elle en prendrait l'habitude. Viens donc m'aider à atteler les bœufs, on ira la chercher quand on aura fini.

Rassuré, l'enfant suivit Baptiste dans l'étable qui communiquait avec la grange où se trouvait Lisa. Celui-ci détacha les bœufs avec des gestes d'une grande lenteur, en poussant des « aah » et des « ooh » que semblaient parfaitement comprendre les bêtes. Ensuite, il les mena à l'ombre et les attela à un char encombré de fourches et de râteaux. Rose s'étant approchée, il lui dit :

— Va donc chercher la petite, on va partir devant. Si on attend ton homme, on commencera pas avant la nuit.

— Où est-elle ? demanda Rose en tendant à son père une musette qui laissait apparent le goulot de deux bouteilles.

— Où veux-tu qu'elle soit ? Avec la chienne, pardi ! répondit Baptiste en haussant les épaules, mais sans colère.

Puis, dès qu'il eut fini de fixer les sangles, se tournant vers l'enfant :

— Allez ! monte vite, toi !

Il le prit sous les aisselles, l'aida à se hisser sur le char. Ils n'eurent pas à attendre longtemps : Rose revint très vite avec Lisa, l'installa, puis elle donna à Daniel un chapeau de paille un peu trop grand pour lui, ce qui l'amusa. Baptiste rit aussi, se plaça devant les bœufs, toucha le joug du bâton, tout en parlant à Rose dans cette langue que l'enfant ne comprenait pas. Celle-ci hocha la tête, mais son visage se ferma. L'enfant devina comme une menace sur le grand-père et sa fille, mais sans pouvoir en déterminer la nature.

Dès les premiers mètres, Lisa, jambes ballantes, saisit la chemisette du garçon entre ses doigts et la serra. Daniel essayait de réfléchir, mais, depuis le matin, tout allait trop vite. Après les murs de la grande ville, cet espace infini et lumineux, ces gens si bons au langage parfois incompréhensible, cette fillette aux yeux trop grands dont le regard restait fixé sur lui indéfiniment : tout lui paraissait bien étrange. L'espace d'un instant, il eut l'impression que rien n'avait existé avant ce jour, qu'il avait toujours connu Lisa, son grand-père, sa grand-mère. Et puis les visages de ses parents apparurent devant lui et une voix murmura *Kindélé,* près de son oreille. Il attendit que s'estompent les images et la voix en fermant les yeux. A l'instant où il les rouvrit, la charrette s'engageait entre des champs de blé et de tabac. Ébloui par l'éclat du ciel, enivré par le parfum chaud des feuilles et des fleurs, il regardait de tous côtés, s'étonnait de tout. Au bout de cent mètres, l'attelage tourna à gauche sur un chemin aux ornières de boue sèche et avança vers les grands peupliers visibles de la ferme. Une fois dans le pré, le grand-père arrêta la charrette à l'ombre.

— Tu vois, dit-il à l'enfant, derrière ces

arbres c'est la Dordogne ; il faut surtout pas s'approcher de l'eau, c'est très dangereux.

Il ajouta, comme Daniel hochait la tête :

— Terminus ! Tout le monde descend !

Daniel sauta au bas de la charrette, aida Lisa, tandis que Baptiste allait mettre la musette au frais dans la haie. Revenant vers eux de son pas paisible, il dit en s'approchant :

— *Bienléou, pourem béouré oun co.*

L'enfant crut comprendre qu'il existait un rapport entre ces mots et les bouteilles, mais Baptiste ne prit pas la peine de traduire. Il tendit au garçon un râteau aux longues dents de bois et il lui expliqua sa tâche : rassembler le foin qui tomberait lors du transport des « pateaux » vers la meule. Content de se rendre utile, Daniel observa un moment le grand-père qui s'était mis au travail. Il tourna la tête vers Lisa immobile près de lui, rencontra son regard, lui sourit, revint à Baptiste qui pliait les genoux et, sans effort apparent, soulevait la charge d'où s'échappaient des brins de foin. Lisa saisit de nouveau la chemise du garçon du bout des doigts, et il n'osa pas bouger.

— Lâche-le, va, dit Baptiste en riant, il s'envolera pas ton amoureux.

Lisa ouvrit la bouche, mais aucun son ne franchit ses lèvres. Daniel, mal à l'aise, essaya vainement de manœuvrer le râteau sans changer de place : les dents se plantèrent dans le sol.

Baptiste s'en aperçut, revint vers les enfants, expliqua qu'il fallait les poser bien à plat tout en amorçant un mouvement circulaire. Après plusieurs tentatives maladroites, l'enfant y parvint enfin, et il commença à se déplacer, suivi par Lisa qui ne le lâchait pas.

Tout en travaillant, il évita de se retourner, car s'il avait envie de lui parler, il ne trouvait pas les mots. Il se demanda si seulement elle entendait ce qu'on lui disait. Il finit par l'oublier jusqu'au moment où Baptiste les invita à se reposer à l'ombre quelques minutes. Lui-même continua de travailler après s'être épongé le front, achevant de bâtir une meule au bout du pré. Assise face à Daniel, Lisa l'avait enfin lâché, mais son regard demeurait rivé à lui.

— Pourquoi tu me regardes comme ça? demanda-t-il doucement.

La petite ouvrit la bouche, grimaça, émit un son qu'il ne comprit pas, puis, aussitôt, s'allongea et posa sa tête sur ses genoux. Il se garda bien de la repousser, mais il regretta que Baptiste fût si loin : que de questions se bousculaient dans sa tête! Il aperçut des papillons semblables à ceux du jardin du Luxembourg où l'amenait sa mère, les étés où il restait à Paris. A ce souvenir, il eut la sensation d'une main chaude sur la sienne, mais il s'y refusa de toutes ses forces, sentant confusément qu'il devait s'éloigner du passé s'il voulait laisser se refermer la déchirure ouverte en lui.

Dix minutes plus tard, Alphonse apparut sur une bicyclette couverte de boue. Il l'abandonna sur l'herbe à l'entrée du pré et, après un bref regard pour Baptiste, il se dirigea vers les enfants. Daniel crut qu'il allait s'adresser à lui, mais non : il marcha vers la haie, trouva la musette et revint avec une bouteille. Il s'assit près de Lisa, but sans reprendre son souffle, s'essuya les lèvres d'un revers de main. Daniel lui sourit, mais rien ne vint éclairer le visage d'Alphonse, et l'enfant ne reconnut pas l'homme qui était venu le chercher à la gare.

— Allez, viens, petit, dit enfin Alphonse en se levant, il faut charger la charrette.

Daniel se redressa, suivi par Lisa qui avait repris sa chemise entre ses doigts.

— Lâche-le donc, toi, cria Alphonse, et reste à l'ombre puisque t'es pas foutue de tenir un râteau.

La petite le considéra sans comprendre. Il frappa d'un coup sec sur son poignet.

— Tu vas m'écouter à la fin ? Je te dis de rester là !

Elle s'arrêta, demeura sur place, bras ballants, avec un regard étonné pour Daniel qui hésitait sur la conduite à tenir.

— Viens donc, toi, le Parigot, et tu me feras le plaisir de changer ce costume et ces souliers de ville dès demain ; Rose te donnera ce qu'il faut. Y a pas de place ici pour les gandins.

Il sembla soudain à Daniel que le bleu du ciel s'assombrissait. Cherchant d'instinct le regard du grand-père qui s'approchait, il y lut une impuissance un peu semblable à celle des siens, le soir où les hommes en armes étaient entrés dans la maison. Baptiste alla s'agenouiller devant Lisa, tandis qu'Alphonse lançait :

— Oh ! Nom de Dieu ! Si on commence comme ça, on est pas près de manger la soupe !

Il s'éloigna vers la charrette en maugréant. Baptiste se redressa après avoir caressé du doigt la joue de la fillette. Parvenu à la hauteur de Daniel, il posa une main sur son épaule et dit d'une voix un peu tremblante :

— Porte pas peine, mon petit, ça lui passera.

Il régnait dans la grande cuisine une odeur de ragoût, de confiture, d'épis de maïs, de bois et de jambon fumé. Des guêpes se posaient çà et là, des poules avaient franchi le portillon et gardaient une patte levée, interrogeant les chiens d'un œil circonspect. Au-dehors, la nuit achevait de tomber dans un murmure de velours déplié. De temps en temps fusaient par la porte ouverte le cri des martinets en ronde dans le ciel ou l'accueil joyeux des chiens pour les charrettes qui rentraient dans les cours.

Daniel, harassé, s'efforçait de se tenir droit, face à Alphonse qui avait jeté, en arrivant, à Rose :

— Tu donneras des frusques au gosse, on n'a pas idée de le faire travailler dans un accoutrement pareil !

Puis chacun s'était lavé les mains avec le godet que Rose appelait la *couade* et qui laissait couler dans l'évier l'eau puisée dans le seau. Comme c'était chez lui la coutume, l'enfant, sans réfléchir, s'était lavé les mains deux fois, provoquant une vive réaction d'Alphonse :

— On me l'avait dit, mais je voulais pas le croire ! Tu verras, quand tu auras porté les seaux du puits jusqu'ici, tu la ménageras, l'eau, c'est moi qui te le dis !

— Oh *la yéou !* pour un peu d'eau ! avait soupiré Rose.

Puis elle avait donné la soupière à son père qui, après s'être servi, l'avait tendue à Alphonse. Ensuite, Rose avait servi sa mère, puis les enfants. Maintenant, en bout de table, à la gauche de Daniel, Baptiste mangeait lentement, sans lever la tête. Près de lui, Lisa essayait non sans peine de porter la cuillère à sa bouche. Rose, debout, allait de sa fille à Julia qui prenait ses repas à sa place habituelle, à droite de la cheminée. Elle veillait à ce que ni l'une ni l'autre ne manquât de rien, mangeait très vite tout en se déplaçant, surveillant aussi le ragoût sur le feu.

Daniel mangeait pour la première fois de la soupe de pain, et il la trouvait délicieuse. Il se demanda vaguement comment il se débrouillerait pour refuser, le jour où Rose lui servirait de la nourriture impure, puis, comme s'il se sentait pris en faute, il se hâta de chasser cette idée de son esprit. Relevant la tête, il surprit le regard de Lisa, sourit, se remit à manger, de peur d'attirer l'attention d'Alphonse. Un lourd silence régnait, troublé seulement par le bruit des cuillères ou le craquement d'une brindille dans le foyer.

Une fois sa soupe finie, Alphonse se saisit de la bouteille de vin et en remplit son assiette. Daniel se demanda où il allait en venir, et il eut une nausée à l'instant où Alphonse la porta à sa bouche pour boire. Mais, à sa grande stupéfaction, Baptiste l'imita, et Rose également. A peine reposa-t-elle son assiette qu'Alphonse lui donna un ordre dans cette langue incompréhensible à Daniel. Aussitôt, Rose se dirigea vers le buffet, souleva un morceau de tissu rouge, et Daniel découvrit un poste de T.S.F. semblable à celui de ses parents. Une voix familière parla de Pierre Laval, de Darlan, des noms qui ne lui étaient pas inconnus. Alphonse marmonna, jura, et Rose, toujours debout, hocha la tête d'un air las. Puis elle apporta un ragoût de pommes de terre et de salsifis dans la marmite qui réchauffait sur le trépied. Au moment où elle la posait sur la table, Lisa renversa son verre, provoquant la fureur de son père.

— Qui m'a foutu une gosse pareille, nom de Dieu ! hurla-t-il, la main levée sur elle.

Nullement effrayé, Daniel eut le réflexe de la protéger en l'attirant contre lui.

— Dis donc, toi, cria Alphonse, si tu veux rester ici, mêle-toi de ce qui te regarde !

Baptiste et Rose se précipitèrent. Tandis qu'elle essuyait la table, Baptiste murmura :

— Allons... c'est rien.

Mais, comme Lisa sanglotait, Julia lança de l'autre côté de la cuisine :

— Si c'est pas malheureux de voir ça ! Vous savez bien que c'est pas de sa faute !

Sa voix ne tremblait pas. Daniel en fut persuadé : elle n'avait pas du tout peur de son gendre. De fait, celui-ci jura, mais oublia Lisa maintenant consolée par Rose. Dans les minutes suivantes, l'enfant se rendit compte qu'Alphonse ne le quittait pas de l'œil, tout en mangeant ses pommes de terre. D'instinct, il se tourna vers Julia qui lui dit avec un sourire :

— N'aie pas peur, mon petit, ici personne ne te fera de misères.

La voix était devenue plus ferme en prononçant les derniers mots. Daniel se remit à manger sous le regard de Lisa posé sur lui. Il avait compris que le seul être capable de faire face à

Alphonse était rivé à sa chaise, que les deux autres n'en avaient pas la force, et il ne se sentait pas très rassuré.

Toujours secouée de sanglots, Lisa porta la cuillère à sa bouche. Une voix de femme chanta « Attends-moi mon amour » à la T.S.F.

— Eteins ça! ordonna Alphonse à Rose qui s'exécuta aussitôt.

L'enfant se demanda pourquoi il parlait tantôt français, tantôt dans la langue de la région, mais il renonça à trouver une explication.

— Quand vous saurez ce que vous voulez! dit la grand-mère en soupirant.

Alphonse ne répondit pas. Ses yeux durs restaient fixés sur Daniel mal à l'aise. Heureusement, de temps en temps, il se servait de grands verres de vin qu'il avalait d'un trait, ou il coupait de larges tranches de pain, les trempait dans le ragoût et les mangeait à grandes bouchées. Son assiette achevée, il fit un geste du bras, et Rose se précipita, lui apportant des fromages blancs. L'enfant essaya de l'oublier et se dit qu'il n'avait pas aussi bien mangé depuis longtemps, car à Paris ses parents trouvaient difficilement de la nourriture. Mais il lui tardait de voir arriver la fin du repas et surtout d'aller se coucher. Quand il eut fini, Alphonse lança en se levant :

— Vous expliquerez au gosse comment

éteindre la lampe ; et qu'il tâche de pas foutre le feu à la grange !

Daniel ne put réprimer un sursaut. Qu'est-ce que cela signifiait ! Allait-il encore devoir travailler ? Il interrogea Baptiste des yeux, puis il revint sur Alphonse : celui-ci allumait une cigarette après l'avoir rapidement roulée entre ses doigts.

— Tu verras, dit-il, on dort bien dans la paille.

S'imaginant seul dans l'obscurité, l'enfant eut un regard de détresse.

— Ne t'en fais pas, dit une voix venue de la cheminée, les premières nuits, Baptiste restera avec toi.

Il respira mieux, même si une crainte confuse continuait de le hanter. Alphonse s'assit de nouveau, versa dans son verre le fond d'une bouteille.

— Que tant d'affaires ! grogna-t-il. Dormir dans une grange n'a jamais tué personne, et surtout pas un gamin. Si vous commencez à lui passer ses caprices, dans une semaine on n'en sera plus maître et, comme d'habitude, c'est sur moi que retombera tout le travail.

Il y eut un bref silence. Baptiste soupira, posa sa main sur l'épaule de l'enfant, ne dit mot.

— Les premières nuits, Baptiste dormira avec lui, répéta Julia en haussant le ton. Quant à vous, tâchez de boire un peu moins et vous trouverez le travail moins pénible.

Alphonse but ostensiblement son verre et sortit dans la nuit. Tout de suite, Daniel se sentit mieux. Il termina son fromage, puis il observa Rose qui aidait Lisa à manger. Elle se laissa faire, souriante, et son assiette se vida très vite.

— Tu dois être fatigué, dit la grand-mère, tu vas aller te coucher. Viens me souhaiter la « bonne nuit ».

Il se leva, s'approcha de Julia qui l'embrassa sur les joues en disant :

— Il faut bien dormir. Demain matin, Rose te portera des habits de chez nous. Allez, va, mon petit.

Rose l'embrassa aussi, puis Lisa, dès qu'il fut près d'elle. La petite le retint même un instant par le bras. Rose dut lui faire lâcher prise en expliquant :

— C'est l'heure de dormir pour toi aussi. Tu le retrouveras demain.

Le grand-père et l'enfant sortirent dans la nuit criblée d'étoiles. Baptiste avait entouré de son bras l'épaule de Daniel ; de sa main libre, il portait une lampe à pétrole. Au milieu de la cour, il s'arrêta, leva la tête.

— C'est la nuit la plus courte de l'année, vois-tu, celle de la Saint-Jean. Les étoiles le savent et brillent plus fort. Surtout celle-là, regarde.

Il désigna du doigt l'étoile polaire, dans le prolongement de la queue du Petit Chariot.

— Elle indique le nord ; le pastre qui la connaît ne peut jamais se perdre. On la trouve aussi dans le prolongement des étoiles de tête du Grand Chariot. Là-bas, regarde !

Comme il repartait vers la grange, Baptiste ajouta :

— Tu sais, Alphonse c'est pas le mauvais bougre : du temps qu'il était au service militaire, il a fréquenté une grande et belle fille du côté d'Avignon. Tout ça a duré longtemps : il a fait le voyage pendant plus de trois ans. Seulement il avait pas le sou et la famille n'a pas voulu de lui. Alors il a traîné par chez nous pendant des mois comme une bête malade et puis, un jour, il nous a demandé Rose... Il s'est mis à boire après la naissance de la petite, quand il a vraiment compris qu'elle était pas comme tout le monde.

Il soupira, poussa la porte de la grange, éclaira les bottes de paille, près de l'extrémité du bâtiment qui communiquait avec l'étable. L'enfant s'effraya d'un bruit de chaînes, se serra contre le grand-père.

— N'aie pas peur, ce sont les vaches. En hiver, elles te tiendront chaud.

Et, s'agenouillant :

— Rose a porté une couverture parce que la paille, au début, quand on est pas habitué, ça gratte un peu.

Daniel s'agenouilla aussi, puis s'allongea. Avec la chaleur, l'odeur des vaches et de la paille dégageait de tièdes bouffées. Daniel, tout de suite, se sentit bien. Baptiste approcha la lampe, expliqua :

— Vois : il faut souffler ici, et tourner la rondelle vers la gauche, comme ça.

L'obscurité se fit. Baptiste suspendit la lampe à une pointe, s'allongea en poussant des gémissements.

— Moi, j'ai jamais si bien dormi que dans la paille, dit-il. Tu verras, tu t'habitueras très vite. Allez, bonne nuit, et dors bien.

Le silence tomba, troublé de temps en temps par l'une des vaches frottant sa peau contre le râtelier. A l'instant même où Daniel ferma les yeux, l'image de sa mère sur la charrette et celle, déjà plus lointaine, de son père sur le seuil de la maison, apparurent devant lui. Il étouffa un sanglot qui n'échappa point au grand-père. Celui-ci eut un long soupir, comprit qu'il devait parler, se souleva sur un coude :

— Tu sais, avant la guerre, dit-il, on allumait de grands feux sur la place du village à l'occasion de la Saint-Jean. Alors les jeunes formaient une ronde, et dansaient, et chantaient jusqu'à ce que les flammes diminuent. C'était la fête, quoi ! A la fin, il fallait sauter par-dessus le brasier. Ah ! pauvre de moi ! Étant plus jeune, plus d'une fois je me suis roussi les fesses, mais je recommençais toujours. Tu penses ! Si on sautait trois feux, c'était le signe qu'on se marierait dans l'année. Toutes les filles nous regardaient. Et Julia, fallait la voir avec ses grands yeux noirs, ses fossettes aux joues, et cet air qu'elle prenait quand je la regardais !

Il soupira encore, ajouta :

— Depuis la guerre, c'est fini : les gens n'ont plus le cœur à rire et à s'amuser, mais quel dommage ! C'est qu'on savait rire, nous autres, tu sais, et on ne ratait aucune occasion : carnaval, les louées, la Saint-Jean, les moissons, la fête votive, tout nous était bon. Et on en a tourné des valses avec la Julia !

Il se tut un instant, murmura :

— Et maintenant, la pauvre, sur sa chaise...

Écrasé par les émotions, l'enfant entendait à peine. Il voyait son père et sa mère danser sur le pont d'un bateau en feu, lui-même tenait Lisa par la main et Alphonse les observait, assis sur une charrette. Il prit à peine conscience du fait que cette première journée loin des siens s'achevait. Déjà le sommeil se posait sur lui aussi doucement qu'à Paris, là-bas, dans sa chambre lointaine.

Le lendemain, vêtu d'une chemisette rapiécée, de culottes courtes et de sandalettes, il entra dès l'aube dans le rythme des journées qui commençaient toujours de la même manière : à peine réveillé, il entendait du bruit dans l'étable, il se levait, apercevait Baptiste qui travaillait déjà, la fourche à la main. Invariablement, celui-ci disait :

— Je t'ai laissé dormir, tu en as bien besoin. D'ailleurs, le jour est à peine levé.

Daniel s'approchait en se frottant les yeux, prenait une fourche, aidait Baptiste à faire la litière. Ce dernier lui avait expliqué qu'il s'agissait de répandre la paille fraîche sur l'ancienne, afin d'obtenir bientôt le fumier dont on se servirait comme engrais dans les champs.

Une fois la litière achevée, il sortait dans les aubes tendres de ce mois de juin qui sentait la brume et les frondaisons. Près de la rivière, un liséré rose frangeait la crête des grands arbres. Des coqs s'enrouaient alentour. Il s'étonnait de la luminosité matinale et se demandait, en attendant Baptiste, où s'étaient enfuis les matins gris de la ville. Autant que le froid, la pensée de son père et de sa mère le faisait frissonner. Cependant Baptiste ne tardait pas à arriver et lançait joyeusement en s'approchant du puits :

— Viens te débarbouiller un peu.

Il tirait l'eau en quelques secondes, s'aspergeait en riant.

— Vas-y, mon petit, disait-il, n'aie pas peur, en hiver, on se lavera à l'évier.

L'enfant ne s'habituait pas à cette manière de

faire sa toilette, et il se disait que sa mère ne l'aurait pas approuvée. Mais bientôt Rose sortait sur le seuil, les appelait pour le petit déjeuner. La cuisine sentait le café et la soupe chaude. Julia se trouvait déjà sur son banc, et Daniel se demandait si elle dormait là, sans jamais se coucher. Lisa était assise à table, les yeux lourds de sommeil. En apercevant Daniel, son visage s'animait, et il croyait lire un sourire sur ses lèvres.

— Du café au lait? lui demandait Rose en l'embrassant.

Il avait à peine le temps de répondre qu'elle ajoutait :

— Avec du miel sur les tartines, pas vrai?

Il s'asseyait près de Lisa, et il se trouvait bien dans la bonne chaleur de la maison, avec le goût du miel dans la bouche, l'odeur du café sous son nez, même si les coutumes de la ferme lui donnaient à mesurer la distance qui le séparait de Paris. Au reste, le plus souvent, Alphonse n'était pas là, car il commençait la traite après avoir déjeuné le premier. Alors, pendant que Baptiste mangeait sa soupe, Daniel prenait le temps de savourer ces moments de paix, de se souvenir des heures lointaines où, là-bas, dans sa maison, il partageait avec les siens les strudels et le thé du matin. Baptiste et Rose parlaient du travail de la journée, Daniel aidait Lisa à préparer sa tartine, lui essuyait les lèvres, espérait en vain les mots qui exprimeraient tout ce qu'il devinait dans les yeux de la petite.

Il fallait pourtant se presser, car les gens du village attendaient le lait de la traite. Daniel suivait Baptiste dans la grange, et celui-ci plaçait son tabouret près de la Noire, appuyait son front contre le flanc chaud de la bête, coinçait une cantine entre ses genoux, sous le pis, se mettait à traire en disant :

— Regarde ! Il faut croiser, comme ça, en remontant puis en tirant.

Le liquide blanc tintait joyeusement dans la cantine, devenait crémeux.

— Tu vas essayer, tiens, viens t'asseoir.

A l'autre bout de l'étable, Alphonse jurait entre ses dents, protestait :

— Comme si on avait le temps !

L'enfant tirait maladroitement sur les trayons pendant deux minutes, parvenait à peine à obtenir quelques gouttes sur ses doigts qu'il suçait avec satisfaction, puis il rendait sa place à Baptiste. En attendant, il jouait à reconnaître les huit vaches en les appelant par leur nom : la Noire, la Rouge, la Poulita, la Normande, la Méteille, la Testard, la Blanche, la Dorade, et c'était comme si ces nouvelles compagnes se joignaient au cortège de ceux qui dans sa vie, désormais, le protégeaient des dangers.

La traite terminée, il aidait Alphonse et Baptiste à porter les cantines sur la charrette. Rose s'en allait alors au village, les hommes partaient aux champs, et Daniel se retrouvait seul avec Lisa et Julia dans la cuisine. Cette dernière trouvait toujours à les distraire en leur faisant exécuter de menus travaux. Ainsi, il se rendait avec Lisa dans la grange pour y prendre du maïs, revenait avec une boîte pleine et, du seuil, jetait des graines aux poules qui se précipitaient vers lui. Lisa, effrayée, poussait de petits cris et lui serrait le bras jusqu'au moment où il fallait battre en retraite, les graines épuisées.

Parfois aussi, Julia les envoyait chercher des œufs dans le poulailler et dans les caches les plus secrètes où, mystérieusement, elle devinait un nid. Parfois encore, elle indiquait les endroits où se trouvaient les champignons de rosée :

— La saison est passée, disait-elle, mais je suis certaine qu'il doit en rester en bordure des haies, peut-être même dans le pré qui longe le chemin de la rivière. Emmène la petite, mais surtout ne la laisse pas s'approcher de l'eau.

Ravi de se rendre utile, Daniel prenait la main de Lisa, traversait la cour et s'en allait au pré. Malgré la fraîcheur du matin, l'été se devinait à la caresse des premiers rayons du soleil et les arbres fruitiers sentaient le sucre dont le parfum attirait les abeilles. Souvent une poule faisane s'envolait dans un battement d'ailes qui effrayait les enfants. Seul avec Lisa dans cet univers où chaque haie, chaque talus, chaque fossé dissimulait un animal ou un oiseau, Daniel se sentait responsable d'elle. C'est avec mille précautions qu'il pénétrait dans le pré et entraînait Lisa vers les lieux ombragés indiqués par Julia. La saison étant avancée, les champignons avaient éclaté en larges corolles striées de lamelles plus brunes que roses. Daniel les ramassait et les posait délicatement dans un panier d'osier. S'ils n'en trouvaient pas, Lisa cherchait toujours à s'approcher de la rivière. Il se souvenait alors des paroles de Julia et, comme il refusait de suivre Lisa, elle insistait, trépignait, faisait :

— O..., oo...

Pour la retenir, il prononçait les premiers mots qui lui venaient à l'esprit :

— Tu sais, Lisa, cette eau elle s'en va dans la mer. Et moi, Lisa, la mer, je la connais : elle est toute bleue, et il y a des bateaux avec de grandes cheminées, des vagues qui courent sur le sable, et c'est grand, et c'est beau.

Lisa s'arrêtait, écarquillait les yeux, le dévisageait comme si vraiment elle comprenait. Alors il la tirait par la main et, lentement, elle le suivait.

— Il y a du monde sur le sable, reprenait Daniel, on y voit loin comme à l'autre bout de la terre, à l'endroit où le ciel rejoint l'eau ; ici, tu sais, ce n'est qu'une rivière.

S'il cessait de parler, elle refusait d'avancer, et il se remettait à inventer :

— Sur l'eau, il y a des oiseaux blancs avec de beaux yeux rouges. Ils plongent pour pêcher des poissons, mais parfois ils emportent un enfant, très loin, sur des rochers aux algues vertes. Les gendarmes les suivent partout, sur des bateaux qui volent.

En veine de confidences, il ajoutait :

— Mes parents à moi, ils sont sur la mer, mais ils reviendront bientôt. On a une maison, là-bas, en Normandie, je crois. Tu verras, Lisa, comme c'est beau. Tu habiteras avec nous, dans la maison aux volets jaunes, on te donnera un lit, celui qui se trouve dans la chambre qui s'ouvre sur la plage où le matin on voit les mouettes. Et aussi, tu mangeras avec nous, Lisa ; on ne se quittera plus jamais.

Ils arrivaient enfin, sans que la petite s'en rendît compte. Julia les félicitait pour les champignons, les faisait asseoir en face d'elle.

— Rose ne va pas tarder, disait-elle, laissez-moi un peu profiter de vous.

Lisa ne quittait pas Daniel des yeux.

— Ma parole, tu lui as jeté un sort, remarquait Julia. Qu'est-ce que tu as bien pu lui raconter ?

Il hésitait à répondre, mais Julia insistait.

— J'ai inventé des histoires, avouait-il.

Les yeux de Julia se mettaient à briller, elle murmurait :

— Et si tu me racontais à moi, aussi ?

Plutôt que de la mer, Daniel parlait de la grande ville où il était né, très loin, là-bas, en Allemagne, des vagues souvenirs qu'il en gardait : des tramways verts sur de grandes avenues, une immense place avec une statue d'homme à cheval. Il avait cinq ans quand ses parents avaient décidé de s'enfuir à Paris, et pourtant des mots et des images de là-bas passaient souvent dans son esprit : Neumarkt, Hofkirche, Wallstrasse, un dôme et une flèche dans le lointain, un campanile, d'énormes lettres en fer-blanc au-dessus d'un immeuble sans fenêtres, une rivière dont il ne se rappelait pas le nom, un théâtre à la façade blafarde, des réverbères, mais peut-être était-ce déjà Paris ? Il ne savait pas exactement.

Julia, fascinée, demandait :

— Essaye de te souvenir, allez, un petit effort !

Il cherchait dans sa mémoire, mélangeait tout, les scènes d'Allemagne et celles de France, le jardin du Kindergarten et celui du Luxembourg, se demandait si la statue équestre ne se situait pas plutôt dans les villes traversées lors de son long voyage.

— Ça fait rien, disait Julia ; maintenant, raconte-moi Paris.

Daniel se lançait dans des explications difficilement compréhensibles à la grand-mère. Ainsi, quand il parlait du pain azyme qu'il fallait manger lors de la Pâque juive, du lait et de la viande qu'il était interdit de mélanger, des fêtes qu'il prenait plaisir à énumérer, comme si c'était un moyen de retrouver un peu sa maison : Rosh Hashanah, Yom Kippour, Souccoth, Hanoucka, Pourim, Passah, Chavouoth, etc.

— Oh ! bonté divine ! s'exclamait Julia, c'est compliqué.

C'était en effet compliqué, mais aussi nouveau et passionnant pour la vieille femme qui n'avait jamais quitté sa région, excepté à l'occasion d'un voyage à Lourdes. Elle le forçait à continuer, et il parlait jusqu'au moment où la charrette arrivait dans la cour, annoncée par les chiens. Avant de se lever, il assurait :

— Toi aussi, Julia, on t'emmènera, je te le promets.

Avec l'arrivée de Rose, d'autres découvertes attendaient Daniel : ils partaient derrière les vaches nonchalantes, dans le matin que dorait la lumière. Les arbres et les haies égouttaient doucement leur rosée, la chaleur irisait les champs et les prairies. Chaque jour, Rose lui apprenait quelque chose, lui enseignait les secrets de la campagne :

— Vois *l'escuriol,* disait-elle ; à savoir où il a trouvé le gland qu'il grignote ?

Elle tenait Lisa par la main ; Daniel marchait à côté d'elles, du même pas tranquille, attentif aux querelles des merles dans les taillis, au vol des papillons aux ailes encore humides. Parfois un lapin traversait le chemin devant le troupeau, ce qui déclenchait la fureur du chien.

— Férou, té, té ! criait Rose.

Le chien revenait vers eux, en provoquant au passage un mouvement de panique dans le troupeau. Parfois aussi Rose passait son panier à la saignée du coude et prenait la main de Daniel. Alors, il pensait à sa mère et quelque chose en lui se nouait. Rose, sans doute, le devinait, car elle se mettait à parler d'un air enjoué :

— Regarde ces violettes, là, disait-elle, et ces aubépines, ces baies rouges. Sais-tu comment on les appelle ici ?

Il faisait « non » de la tête.

— Des gratte-cul.

Elle partait de son rire clair et haut perché, par où semblait couler tout son bonheur de vivre.

— Il ne faut pas les manger, précisait-elle, c'est du poison.

L'air sentait les feuilles et les fleurs dont les couleurs chaudes éclataient au hasard, sur les talus. A l'entrée du chemin de la rivière, il y avait toujours une vache pour vouloir prendre la fuite.

— Té, Férou ! criait Rose.

Le chien détalait, s'en allait mordiller les jarrets de l'imprudente qui, après deux ou trois ruades, faisait demi-tour et rentrait dans le rang. Ils pénétraient enfin dans la pâture fleurie de marguerites, Rose refermait soigneusement la palissade derrière eux, puis ils s'asseyaient à l'ombre des grands bouleaux.

— Tu vois, c'est pas difficile, disait Rose. Bientôt, tu pourras garder tout seul : il faut pas oublier de refermer derrière toi, ensuite il faut faire attention à ce qu'elles ne s'enfuient pas par un trou de la haie vers le trèfle ; ça leur ferait éclater le ventre. Il faut aussi surveiller le passage de la rivière, surtout l'après-midi, à cause de la chaleur. Quant au maïs, là, sur la gauche, c'est moins dangereux pour elles. Mais le chien le sait, tu n'as pas besoin de te déranger. Tiens, regarde la Noire, là-bas, cette *vielho masquo* ; envoie-lui donc le chien.

— Je ne sais pas quoi dire.

— La Noire, Férou, té ! *Vaï la quère !*

L'enfant essayait, d'abord sans conviction.

— Plus fort, insistait Rose, n'aie pas peur.

— Férou, la Noire, té ! criait Daniel.

Le chien tournait la tête vers lui, dressait les oreilles, puis, sur un signe de la main, il partait en courant vers la rebelle qui regagnait aussitôt le centre de la pâture.

— Tu vois ! triomphait Rose.

Elle sortait de son panier les aiguilles à tricoter, parlait, parlait, nommait les choses, les animaux et les fleurs. Elle connaissait tout ce qui constituait la moindre parcelle de son univers : un roitelet, un pinson, un loriot, une pie, une fouine, un mulot, un criquet, un tremble, un chêne, un frêne, un saule, et c'était comme si le barrage du silence imposé dans la maison par Alphonse se rompait. Daniel se sentait bien, assis dans l'herbe où l'assaillaient les odeurs fortes des vaches et des fleurs. Le monde alentour le protégeait, il avait l'impression de passer des vacances à la campagne, celles qu'on lui avait promises depuis longtemps. Il faisait provision d'images et de mots, n'avait nulle envie de bouger, se retenait de respirer, mais Rose disait :

— Marchons un peu, sinon nos jambes vont se rouiller.

Ils faisaient lentement le tour du pré. Sans lâcher son ouvrage, Rose ramassait un champignon ou de la berce, des fleurs de carottes sauvages, de la marjolaine, des pissenlits, murmurait :

— C'est qu'elle les aime, Julia.

Puis ils rentraient sans se presser pour le

repas de midi qui mijotait depuis le matin, surveillé par la grand-mère.

L'après-midi, comme il faisait très chaud,
Daniel se reposait dans la grange où Lisa avait
pris l'habitude de le rejoindre, en cachette
d'Alphonse. Elle se serrait contre lui, fermait les
yeux, et il disait :

— Parle-moi, Lisa, pourquoi ne me parles-tu
pas ?

Elle poussait son habituel gémissement et il
lui arrangeait les cheveux de part et d'autre du
cou, en nattes mal tressées. Contente, elle battait
des mains, lançait des petits cris de joie.

— Écoute, Lisa, disait-il.

Et il lui racontait comment ils prendraient le
bateau, la houle bleue des vagues, les étoiles qui
brilleraient là-haut pour leur enseigner le chemin. Les grands yeux bruns de la petite ne cillaient pas ; ils s'attachaient à Daniel comme le
premier jour où il l'avait vue, à peine réveillée
dans la cuisine. Ensuite, le plus souvent, ils
s'endormaient l'un contre l'autre, et c'est Baptiste qui les appelait de la cour. Après la sieste,
ou bien Daniel allait aux champs avec les
hommes, ou bien il repartait avec Rose et Lisa,
dans la paix de l'été, jusqu'à l'Angélus du soir.
C'étaient alors des heures qui coulaient sur lui
comme une eau tiède, abolissant le passé. Parfois Rose les emmenait à la rivière où, les tenant

par la main, elle leur permettait de se rafraîchir les jambes dans l'eau verte. L'enfant jouait à éclabousser Lisa, puis Rose, qui riait. Il se sentait attiré par l'autre rive, là-bas, à plus de soixante mètres, où des frênes et des trembles oscillaient dans le ciel blanc.

— C'est ici qu'on rince la lessive, disait Rose.

Il fallait regagner le pré à cause des vaches et, le soir venu, reprendre avec regret le chemin de la ferme où Daniel aidait les femmes à préparer le repas. Souvent Alphonse partait au village et ne rentrait pas avant minuit. Ces soirs-là, l'enfant mangeait avec Baptiste, Rose, Julia et Lisa, et il s'efforçait de croire qu'ils étaient sa famille.

Le repas terminé, avant d'aller se coucher, il s'asseyait en compagnie de Baptiste sur le banc de pierre situé devant la grange. Là, Baptiste parlait des étoiles qui s'allumaient, et les désignait du doigt : d'abord l'Étoile du berger, à l'ouest, et, sous le Grand Chariot, c'était le Bouvier avec Acturus, et puis Margarita, Altaïr, Rigel et Antarès. Il lui faisait chercher la plus belle, dans Orion, sur l'équateur céleste, celle qui s'appelait Bételgeuse.

— Elles indiquent la route à ceux qui sont sur la mer, affirmait-il.

Et l'enfant se demandait si son père et sa mère, eux, les apercevaient dans ce bateau qui, toutes lumières allumées, filait vers un pays dont il ne connaissait même pas le nom.

2

A la fin de juillet, les journées devinrent tor-
rides, les prunes trop mûres éclatèrent, et le parfum du sucre chaud répandu sur les champs et
les vergers affola les guêpes. Avec cette chaleur,
l'enfant rencontrait encore plus de difficultés
pour s'habituer à sa nouvelle existence. C'était
aussi vrai la nuit que le jour, surtout à partir du
moment où Baptiste avait regagné sa chambre,
le laissant seul dans l'obscurité où il cherchait
vainement le sommeil, revivant les événements
de la journée passée. N'avait-il pas laissé
ouverte la porte de la soue des cochons? Il en
fallait de la patience à Baptiste et à Rose! Une
semaine auparavant, croyant bien faire, il avait
jeté des os de lapin aux chiens qui s'étaient
étranglés. Heureusement, Julia s'en était aperçue
assez tôt. Un autre jour, il avait donné trop de
lait aux veaux et, le soir, ayant trop remué l'eau
du puits, il avait rapporté à la cuisine un seau
dans lequel flottait une mousse noirâtre.

Toutes ces bêtises, ajoutées à l'absence de repères familiers comme la prière d'avant le repas ou le schabbat du samedi, le perturbaient beaucoup malgré la présence attentionnée de Rose, de Julia et de Baptiste. De plus, il avait reçu de ses parents deux lettres troublantes dans lesquelles ils lui recommandaient de ne pas leur répondre. Qu'est-ce que cela signifiait ? Il ne comprenait pas, interrogeait Rose ou Julia qui tentaient de le rassurer, le plus souvent avec maladresse. Il avait tout de même écrit deux feuillets sans les expédier, et il les relisait souvent, le soir, avant d'éteindre la lampe, seul avec ses souvenirs. Mais ce qui le tenait éveillé cette nuit-là, c'était la décision prise la veille par Julia : elle avait décrété sans le consulter qu'il était temps de faire connaissance avec le village. Dans la perspective des moissons et des battages proches, elle jugeait en effet préférable de ne pas le cacher plus longtemps, puisque aussi bien on attendait à cette occasion des visiteurs au Verdier. Elle était convenue avec Rose de faire passer l'enfant pour le petit-fils du frère de Baptiste parti pour Paris plus de trente ans auparavant, et qu'on n'avait jamais revu. De toute façon, les risques paraissaient négligeables, car le village et les fermes des environs étaient envahis par les réfugiés, et les gendarmes, débordés, avaient fort à faire pour contrôler l'identité de tous ces « étrangers ».

Ce matin-là, l'enfant aurait dû être content, et pourtant, les yeux grands ouverts dans l'aube naissante, il sentait monter en lui une angoisse familière. Même s'il s'efforçait de les fuir, les images de ce jour de mai où il était parti à l'école avec une étoile jaune cousue sur le revers de son tablier ne cessaient de le hanter. Il se remémorait la stupeur de ses camarades, de ses meilleurs amis qui le découvraient tout à coup différent d'eux, coupable en une nuit d'une faute capitale, et pour toujours. Il avait alors lu dans le regard des garçons de son âge la preuve de son indignité sans songer à se défendre, tellement la blessure était douloureuse. Et, aujourd'hui, quelle allait être l'attitude de ceux du village, enfants ou adultes ? Même s'il ne portait plus d'étoile, allaient-ils deviner en lui un enfant maudit ?

Une vache frotta son échine contre les piliers du râtelier, des rats coururent au grenier, dans la réserve à grains, la chienne bâilla tout près : autant de bruits quotidiens, rassurants. Daniel n'avait pas envie de sortir de son nid chaud. Quand la porte de la maison grinça, il se raidit, puis se refusa à la voix qui l'appelait. Baptiste n'insista pas. Un peu plus tard, Daniel l'entendit travailler dans l'étable, mais il feignit de dormir. La litière achevée, Baptiste vint le secouer doucement par l'épaule, s'assit près de lui en souriant.

— Dépêche-toi, bougre de fainéant, dit-il, nous allons au village.

Il ajouta, se relevant aussitôt :

— Va vite déjeuner pendant que je commence à traire.

Une demi-heure plus tard, ils se mettaient en route dans le matin d'été, les cantines de lait attachées à l'arrière de la charrette.

Il n'y avait pas loin de la ferme au village — à peine un kilomètre — et le cheval allait au pas entre les haies où voletaient les merles et les pinsons. Des volailles appelaient alentour, des vaches meuglaient, la campagne s'éveillait dans une lumière scintillante de rosée.

— Il va en faire un plat, dit Baptiste ; les Allemands sont pas prêts de mettre le nez dehors...

L'enfant songea que lui aussi avait été allemand avant de devenir français et que c'était pourtant à cause d'eux qu'il se trouvait aujourd'hui sur cette route, si loin de ses parents. Il chassa cette pensée, observa les prairies et les champs, puis les premières maisons apparurent après un petit pont d'où il aperçut une eau rare entre des roseaux. Ils croisèrent une femme à chignon qui portait des bas noirs et un tablier à fleurs. Baptiste tira sur les rênes, discuta un moment avec elle, puis le cheval repartit du même pas tranquille.

— Faut pas trop parler avec elle, c'est une *lenguodo*, dit Baptiste sur le ton de la confidence.

Et, comme l'enfant ne comprenait pas :

— Une mauvaise langue, quoi !

Ils durent s'arrêter encore trois fois avant d'arriver sur la place : trois fois les mêmes mots, les mêmes civilités, et l'impression que nulle menace ne pesait sur ce village, que la guerre était loin, de l'autre côté de la terre.

Une fois sur la grand-place, l'enfant regarda de tous ses yeux tandis que Baptiste regroupait ses cantines dans un coin de la charrette stationnée devant le café. Au centre, majestueux, un monument qui récapitulait le nom des morts de la Grande Guerre projetait vers le ciel sa masse rectangulaire épaulée par des buis. A l'opposé du café, l'église romane appelait pour l'office du matin. Des ormes, plantés de part et d'autre d'un passage sablonneux menant au foirail, la séparaient de la boutique peinte en bleu du boulanger-pâtissier. Près d'elle, la boucherie à devanture rouge dissimulait à moitié la grande bâtisse de la mairie-école qui, derrière, du fond d'un préau, proclamait sa foi dans le travail, la famille et la patrie. Puis venaient la bonneterie de la mère Adèle, l'épicerie avec son étal vidé par la pénurie, le café dont l'enseigne vantait les mérites de la Suze et du Cinzano, le travail et la forge du maréchal-ferrant, la boutique du coiffeur, dont la porte entrouverte et constellée de réclames de brillantines laissait couler des rires sonores et des éclats de voix.

Près de Baptiste, l'enfant ouvrait grands ses yeux et ses oreilles. Il n'avait plus peur, les explications données par Baptiste aux femmes lui valant même des sourires. Elles se succédaient sans impatience, leur porte-monnaie de cuir à la main.

— Bonjour, Baptiste ; alors, c'est vous aujourd'hui ?

— Eh oui ! Combien en voulez-vous ce matin ?

— Un demi, s'il vous plaît.

Baptiste prenait du lait avec la mesure d'un quart de litre dans la cantine, le versait dans le récipient tendu par la cliente. Puis celle-ci demandait, tout en comptant ses sous :

— Et qui c'est, cet enfant ?

— Un petit-fils de mon frère, le Louisou. Il nous est arrivé de là-haut.

— Mon Dieu ! le Louisou, comme il y a longtemps ! Il se porte bien, au moins ?

— Il se portait bien quand sa fille nous a amené le petit, mais là-bas, vous savez, la vie est difficile.

— Il n'y a pas qu'eux pour avoir du malheur, allez !

Et la litanie des questions et des réponses continuait, tandis que l'enfant se sentait adopté.

— C'est vrai qu'il a un air de son pépé,

affirma même une vieille femme au menton prolongé par des poils rares et fins.

Une main caressa les cheveux, une autre la
joue de Daniel souriant. Avait-il été stupide de
craindre cette première visite au village ! Qui,
parmi ces hommes et ces femmes, aurait pu lui
vouloir du mal ? Il regretta l'absence de ses
parents qui, en ces lieux, lui semblait-il à
présent, eussent été eux aussi en sécurité.

La distribution terminée, Baptiste entraîna
Pompon près du travail du maréchal qui achevait de ferrer une jument. C'était un homme
trapu et noir, aux cheveux drus, vêtu d'un tablier
de cuir, que Baptiste appela Maurice. Sa femme,
Adélaïde, une matrone débonnaire aux cheveux
couleur de paille, conduisit la jument dans une
courette où elle l'attacha à un anneau planté
dans le mur, puis elle revint pour demander des
nouvelles de la famille et s'enquérir de l'identité
du garçon. Baptiste s'expliqua de nouveau, tout
en forçant le cheval à entrer dans le travail, une
sorte d'échafaudage formé de quatre poteaux
ronds, de planches et de sangles destiné à immo-
biliser les bêtes.

— C'est bien un Parisien, il a pas l'air de
chez nous, dit Maurice en examinant Daniel.

Celui-ci retint un instant sa respiration.

— C'est vrai qu'il y a belle lurette qu'il est
parti, Louisou, et on a eu le temps d'oublier, pas
vrai ?

Adélaïde ayant lié les pattes avant du cheval et serré les courroies, Maurice souleva l'une des pattes arrière, l'attacha solidement au poteau le plus proche, la débarrassa de son vieux fer et la nettoya au moyen du grattoir. Puis il présenta un fer neuf, et comme la corne était un peu plus large que celui-ci, il dut aller le rectifier sur l'enclume, après l'avoir porté au rouge sur la forge. Cela fait, il le plongea dans un baquet d'eau froide et revint en le tenant dans une grande tenaille. Adélaïde maintint le fer pendant que son mari plantait les clous à tête carrée en arc de cercle. Quand il eut terminé, il coupa à la tenaille les têtes qui dépassaient et rectifia les morceaux de corne saillante avec un marteau rond. Adélaïde s'éloigna, tandis que les deux hommes détachaient la patte et liaient la deuxième.

— Aah! Ooh! crièrent-ils ensemble pour apaiser le cheval.

A cet instant, Adélaïde revint avec un bol de lait, l'air réjoui.

— Tiens, mon petit, dit-elle en le tendant à Daniel, bois un peu de ce lait de jument, c'est bon pour les enfants.

Celui-ci recula, interrogeant Baptiste du regard. Rassuré par son sourire, Daniel porta le bol à ses lèvres, sentit d'abord la crème, puis le lait, onctueux, plutôt tiède que chaud, un lait d'une douceur extrême. Il but lentement en fermant les yeux et, à l'instant où il les rouvrit, une grande mollesse coula en lui. Il lui vint alors comme un besoin de remercier, ce qu'il fit avec les mots appris de sa mère.

— Mon Dieu, qu'il est gentil, ce petit! dit Adélaïde en reprenant son bol.

Puis, après l'avoir serré furtivement contre elle, avant de s'éloigner :

— Ah, bonté divine! Si j'en avais eu un comme celui-là!

Maurice soupira, regarda Baptiste d'un air impuissant, reprit son travail en constatant :

— Dire qu'il y en a tellement qui leur font du mal, alors qu'elle, mon pauvre, si elle avait eu un enfant, elle lui aurait donné son cœur à manger!

Ils parlèrent de la pluie et du beau temps, de la guerre, tout en travaillant avec des gestes d'une grande sûreté. Quand ils eurent terminé, comme le voulait la coutume, il fallut aller boire un verre au café. Adélaïde, revenue entre-temps prendre sa part de travail, demanda à l'enfant :

— Et comment tu t'appelles?

— Daniel, madame.

— Oh! il n'y a pas de madame, ici, appelle-moi donc Adélaïde, comme tout le monde, et surtout reviens me voir; je te redonnerai du lait et tu deviendras grand et fort pour aider Baptiste.

L'enfant remercia, dit au revoir en tendant la

main, mais Adélaïde le hissa jusqu'à ses joues pour l'embrasser. Une fois libéré, il suivit les hommes au café avec l'agréable impression d'être aimé de tout le monde. Et c'était si bon, après les tourments des derniers mois, qu'il éprouva le besoin de le dire à Baptiste. Mais il n'en eut pas le temps car la porte du café s'ouvrait déjà sur des hommes attablés, qui saluèrent les nouveaux venus en leur serrant la main :

— Adieu, Gaston !

— Adieu, Baptiste !

On serra aussi la main de l'enfant, après que Baptiste l'eut présenté comme le petit-fils de Louisou. Celui-ci eut alors l'impression d'avoir perdu sa véritable identité, songea à ses parents avec un certain malaise, mais c'était si extra-ordinaire de ne plus avoir peur, de n'avoir à redouter personne, qu'il laissa une douce quié-tude le gagner. Baptiste commanda un Byrrh et Maurice un Pernod, quand le patron, un nommé Henri, s'approcha. Il était grand, fort, avec des sourcils très épais et un front haut qui lui don-naient l'aspect d'un ogre sorti d'un livre de contes. En s'essuyant les mains à son tablier bleu, il proposa une limonade à Daniel qui l'accepta timidement. Baptiste compta ses sous pour payer le ferrage et Maurice dévisagea l'enfant en poussant de longs soupirs.

— *Macarel !* souffla-t-il enfin au terme de sa

réflexion, qu'est-ce que j'aurais donné pour avoir un *galapiat* comme celui-là!

Il soupira encore, ajouta, s'adressant à Baptiste qui opinait :

— Enfin, que veux-tu y faire?

— Chacun sa part, dit Baptiste.

— Eh oui! C'est aussi par les enfants que les gendres rentrent dans les maisons.

Daniel comprit l'allusion à Alphonse et devina que tout le monde était au courant de ce qui se passait au Verdier.

— Et la Julia, elle se supporte, la pauvre?

— Il faut bien.

Daniel but sa limonade dont les bulles pétillèrent délicieusement dans sa bouche avec un goût sucré. Il écouta d'une oreille distraite la conversation dans laquelle il était question des batteuses à vapeur remises en service faute de carburant. Puis les deux hommes parlèrent des gens des villes qui venaient chaque dimanche mendier des œufs, du beurre ou du fromage, en ayant l'air de se moquer un peu. Il fut ensuite question d'un *cop pelat* : un chauve de leur connaissance, mort deux jours auparavant; d'une *pinça lous pots* : une « pince-lèvres », qui devait être la commère du village; puis d'un *Jousèp* dont la réputation de vieil original paraissait avoir franchi les frontières du département.

Au terme de ces considérations, dix minutes

plus tard, la porte s'ouvrit, poussée par un homme à béret, moustachu, portant lunettes et crayon sur l'oreille.

— Adieu, Léon, dit Henri.

— Salut à tous.

Quelques voix rendirent le salut, mais pas toutes, et l'enfant remarqua que les conversations ne reprenaient pas. Baptiste et Maurice, sans s'être concertés, ne tardèrent pas à se lever d'un même mouvement et sortirent sans un regard pour le nouveau venu.

Dehors, le maréchal-ferrant serra longuement la main de l'enfant et lui recommanda de revenir le voir souvent. L'ayant promis, Daniel monta près de Baptiste sur la charrette qui s'ébranla tout de suite, tirée par le cheval qui semblait pressé de tester ses fers neufs. Une fois sur la route, Baptiste dit doucement :

— Avec Maurice, on est de la classe.

L'enfant hocha la tête comme s'il comprenait, devinant une fraternité au-dessus de toute épreuve. Deux tourterelles traversèrent la route et se posèrent sur un prunier. A droite, en lisière d'un champ de blé, une demi-douzaine de cailles piétèrent vers un églantier. Le grand-père et l'enfant ne parlaient pas, mais le silence de la campagne, sa lumière bleutée exprimaient beaucoup plus de sérénité que l'eussent fait des mots. Pourtant, au moment où la charrette sortit du virage d'où l'on pouvait apercevoir le toit du Verdier, l'enfant demanda :

— Le monsieur au béret, qui c'était ?

— Le président de la Légion ; il faut s'en méfier parce qu'il renseigne les gendarmes, mais au fond il n'est pas mauvais.

Baptiste ajouta, après un instant :

— Ne lui parle pas, si tu le rencontres ; c'est pas la peine de tenter le diable.

La respiration de l'enfant se précipita, une ombre passa devant ses yeux.

— Il ne faut pas avoir peur ; chez nous, tu ne risques rien, ajouta Baptiste qui avait deviné son malaise.

L'enfant remercia d'un sourire, s'efforça de penser à autre chose. Le goût du lait de jument offert par Adélaïde lui revint dans la bouche et, aussitôt, il oublia tout ce qui ne pouvait se fondre dans la tiédeur de ce matin d'été.

Le jour des battages, il fallut se lever très tôt pour s'occuper de la litière et de la traite des vaches. Daniel s'en chargea avec Baptiste, tandis qu'Alphonse s'escrimait dans la cour sur la locomobile et la batteuse reliées par de longues courroies en mauvais état. Trois hommes, avec qui Alphonse était en affaires, arrivèrent au début du petit déjeuner. Il y eut aussitôt une dispute entre Rose et lui, car il exigeait tous les tickets de rationnement de la maison. Daniel comprit qu'il se servait de ceux dont on n'avait pas besoin à la ferme pour les échanger contre du vin et du tabac. Rose et Julia avaient beau faire, elles étaient impuissantes à les lui dissimuler. Il en trouvait toujours, au besoin par la force. Il sortit de mauvaise humeur, ce matin-là, après avoir bu deux ou trois verres d'affilée, puis il monta tout de suite sur la batteuse avec ses deux amis. Tout le monde se retrouva dans la cour pour assister à la mise en marche, Daniel et Lisa au premier rang. Quand Alphonse enclencha l'engrenage, il y eut des cliquetis, des soubresauts, puis la première gerbe disparut dans la batteuse et le vacarme devint très vite assourdissant.

Ce fut au moment où Daniel se retourna qu'il ne vit plus Lisa.

— Elle a eu peur, lui dit Rose, elle s'est enfuie dans la grange. Pourtant j'aurais bien besoin d'elle, moi, ce matin.

Daniel comprit qu'il devait aller la chercher. Il la trouva recroquevillée dans la paille, la tête entre ses mains.

— Faut venir, Lisa, dit-il, ta mère a besoin de toi.

Elle le repoussa, chercha à lui échapper.

— Faut pas avoir peur, c'est rien.

Comme elle ne bougeait plus, il demeura un instant silencieux en réfléchissant.

— Ton père va se fâcher; viens, Lisa.

Un appel se fit entendre dans la cour.

— Viens, Lisa, répéta Daniel.

Rien n'y fit : la peur la paralysait. Il hésita, soupira, puis il sortit après un dernier regard vers la petite tournée contre le mur.

— Qu'est-ce qu'elle fait? cria Alphonse, debout sur la batteuse.

Daniel écarta les bras, voulut s'expliquer, mais le vacarme couvrit sa voix. Baptiste lui fit signe de venir près de lui, au pied du gerbier. Alphonse cria que « s'il descendait, nom de Dieu, elle allait comprendre sa douleur », puis le travail absorba l'attention des uns et des autres, la poussière et la chaleur embrasèrent la cour, et il n'y eut plus dans le matin que le halètement sourd des machines en action.

Une heure passa. Daniel sentit la sueur sur sa nuque et son dos, il entendait la respiration sifflante de Baptiste épuisé par l'effort et s'inquiétait pour lui. Ce fut la voix de Rose près de son oreille qui le tira de ses pensées.

— Elle n'est pas revenue? demanda-t-elle.

Daniel se redressa, fit un signe négatif de la tête. Rose soupira, se dirigea vers la grange où elle resta plusieurs minutes, puis elle ressortit seule. Baptiste et l'enfant s'arrêtèrent alors de travailler, ce dont Alphonse s'aperçut. Prenant prétexte de l'incident, il abaissa une manette. Le vacarme décrut, les courroies ralentirent, les mécanismes s'immobilisèrent lentement. Alphonse sauta alors au bas de la batteuse et courut vers la grange où l'on entendit Lisa crier. Il revint quelques secondes plus tard, la tirant par la main en direction de la maison où ils disparurent. Baptiste et Daniel se précipitèrent, franchirent la porte au moment où Julia demandait :

— Vous la laisserez donc jamais tranquille, cette pauvre petite ?

— Vous, taisez-vous ! répliqua Alphonse, c'est ma fille et elle doit m'écouter.

Profitant d'un moment d'inattention, Lisa s'en fut se réfugier auprès de Julia et se blottit contre elle.

— Viens ici ! tonna Alphonse.

Lisa ne bougea pas.

— Viens ici, je te dis !

Malgré Baptiste et Rose qui tentaient de s'interposer, il saisit Lisa par un bras et la tira vers lui. La petite cria de douleur, ce qui abolit chez Daniel toute prudence : il se précipita pour la défendre, mais il se retrouva à terre, étourdi par un coup dont il ne sut s'il avait été donné volontairement ou non par Alphonse. Rose, qui pleurait, l'aida à se relever et à s'asseoir. Il entendit de nouveau crier Lisa dans la chambre. Julia s'en prit à Rose et à Baptiste qui se contentaient de regarder vers la porte avec des yeux pleins d'effroi. Enfin les cris se turent et

Alphonse reparut, le visage congestionné, l'air hagard.

— Nom de Dieu ! Faudrait savoir qui commande ici, lança-t-il, menaçant.

Puis, saisissant Daniel par le poignet avant que personne ne puisse intervenir :

— Quant à toi, petit, tâche de t'occuper de ce qui te regarde ou je t'emmènerai chez les gendarmes par les oreilles. Tiens-toi-le pour dit !

Il libéra l'enfant qui chancela, ne sachant plus soudain qui il était, ni qui était cet homme au regard fou, là, devant lui, dont la voix réveillait d'autres voix, aussi terribles, aussi violentes. Il jeta vers Julia un regard éperdu.

— Que j'entende ça encore une fois, dit la grand-mère, et je saurai bien, moi, parler aux gendarmes de votre commerce de tickets.

Alphonse pâlit. Il demeura un instant silencieux, dévisageant tour à tour Julia, puis Rose qui tremblait, Baptiste enfin, qui baissait la tête, accablé, et murmurait :

— Si seulement j'avais dix ans de moins, j'aurais pas besoin des gendarmes.

— Les gendarmes, c'est moi qui les nourris, lança Alphonse avec morgue.

— Ça ne fait rien, répliqua Julia, vous savez, si je ne peux pas me servir de mes jambes, je saurai me servir d'un fusil.

Alphonse hésita. Comprenant que Julia en était capable, il prit le parti d'en rire, mais d'un rire mauvais, qui trahit son dépit. A cet instant, une voix appela dans la cour : les hommes, sur la batteuse, s'impatientaient. Haussant les épaules, Alphonse sortit sans un mot, et le silence se fit dans la cuisine. L'enfant remarqua que Julia, maintenant, tremblait elle aussi, malgré un sourire qui se voulait rassurant. Baptiste l'attira contre lui en murmurant :

— C'est rien, mon petit, c'est rien.

Daniel était si pâle que Julia demanda à Rose de lui donner un peu d'eau de coing. Le bruit infernal de la locomobile troubla de nouveau le silence du matin. L'enfant but l'alcool léger en fermant les yeux, évitant de regarder Julia, Rose et Baptiste, comme s'il redoutait un reproche de leur part.

— Va voir Lisa, lui dit Julia quand il eut terminé ; Alphonse se passera de toi ce matin, ça lui servira de leçon.

Il remercia d'un signe de tête, puis il rejoignit la petite qui s'agrippa à lui dès l'instant où elle le vit et ne le lâcha plus de la matinée. Il la consola en lui parlant comme il savait si bien le faire, avec les mots de mer et de bateaux qui lui étaient familiers, des mots dont elle ne semblait jamais se lasser.

A midi, elle ne voulut pas sortir de sa chambre, et Rose lui porta une assiette de haricots. Au cours du repas, les hommes burent beaucoup. Ils finirent même par se quereller,

Alphonse ayant reproché à celui qu'il appelait Émile un retard dans la livraison d'une pièce de vin. Dès qu'il put s'échapper, Daniel se réfugia dans la grange. Là, il s'endormit très vite d'un sommeil agité qui dura jusqu'au moment où le bruit de la batteuse retentit. Il fallut alors reprendre le travail dans la poussière et la canicule, aider du mieux possible Baptiste à bout de forces. Les autres, eux, peinaient beaucoup en manipulant les gerbes et buvaient du vin frais à grandes gorgées. Cela dura longtemps, très longtemps. Aveuglé par la sueur, Daniel titubait, mais pour rien au monde il n'aurait abandonné Baptiste qu'il sentait près de tomber. Enfin, la meule diminua. Puis il resta seulement quelques gerbes à enfourner dans la batteuse qui, bientôt, se tut avec un soupir.

L'enfant gagna la cuisine après s'être rafraîchi à l'eau du puits. Avant l'arrivée des hommes, il eut juste le temps de passer dans la chambre de Lisa qui paraissait plus calme. Elle prononça quelques sons toujours incompréhensibles, et comme elle ne voulait pas le laisser s'en aller, il lui dit :

— Demain, la batteuse sera partie. Il faut pas avoir peur.

Il la quitta très vite en entendant Alphonse s'installer à grand bruit pour le repas du soir. Daniel faillit s'y endormir dès le début, tellement la fatigue pesait sur ses épaules. Ni Rose, ni Baptiste, ni Julia ne parlaient. Seuls retentis-saient les rires et les jurons des hommes à qui l'alcool, ajouté à la fatigue, semblait avoir fait perdre toute raison. Daniel partit bien avant la fin dans son nid de paille, heureux d'échapper à la vive excitation d'Alphonse et de ses amis qui n'annonçait rien de bon. Un peu plus tard, il entendit dans un demi-sommeil Alphonse crier dans la cour, et il comprit qu'il ramenait les hommes au village. Sitôt après, il s'endormit.

Réveillé au milieu de la nuit par un grand bruit, il s'assit en se frottant les yeux, ne sachant s'il devait reconnaître Alphonse dans cet être titubant, aux yeux fous qui, une lampe à la main, gesticulait devant lui. Il crut même que dans l'état d'ébriété où il se trouvait, celui-ci s'était trompé de porte. Mais non, c'était bien lui que cherchait Alphonse, cette nuit-là, au bout d'une interminable journée pendant laquelle avait plané la menace d'un événement redoutable. Daniel ressentit une peur semblable à celle éprouvée à Paris le soir où les hommes étaient entrés dans la maison, mais, comme ce soir-là, il n'eut ni le temps ni la force de s'échapper.

— Alors, petit, grinça Alphonse, tu dormais déjà ?

Et, comme l'enfant ne répondait pas, ne sachant ce qu'il voulait vraiment :

— Espère un peu, c'est fini de dormir ; ici, il

faut obéir à ceux qui te nourrissent. Allez, lève-toi !

Trop effrayé pour tenir sur ses jambes, Daniel ne bougea pas.

— Lève-toi, nom de Dieu ! répéta Alphonse en donnant un coup de pied dans la paille.

A cet instant seulement Daniel vit la fourche dans la main de l'ivrogne. Il se leva d'un bond, recula jusqu'à l'étable.

— Au boulot ! cria Alphonse. C'est fini, les vacances !

Il lui tendit la fourche et l'enfant crut comprendre qu'il voulait le voir travailler à ses ordres, comme cela, pour son plaisir. Mais l'outil se présentait par les pointes, ce qui le fit hésiter. Alphonse n'était-il pas devenu fou ? Ne projetait-il pas de le tuer ? Daniel avança la main, ne quittant pas l'homme des yeux. Il parvint à se saisir de la fourche sans se blesser en se déplaçant légèrement sur la droite. Aussitôt qu'il l'eut prise, il passa dans l'étable et commença à répandre la paille derrière les vaches réveillées par l'agitation inhabituelle.

— Plus vite ! fit Alphonse. Mais qu'est-ce que tu croyais ? Je les connais, moi, les youpins, et je sais les mener !

L'enfant se redressa un peu, vit l'ivrogne désarmé à trois mètres de lui, réprima à grand-peine une envie de frapper. Alphonse surprit sans doute un éclair dans ses yeux, car il s'empara lui aussi d'une fourche et s'y appuya. Daniel continua de travailler en s'efforçant d'oublier la présence de cet homme ignoble dont il avait du mal à admettre qu'il fût le père de Lisa. Cela dura à peine dix minutes, puis il n'entendit plus Alphonse qui s'était écroulé dans la paille et ronflait, allongé sur le dos. Daniel s'approcha, sa fourche à la main, mais d'un coup sa colère et sa peur s'évanouirent : autant il aurait pu frapper Alphonse debout, menaçant, autant l'homme endormi paraissait dérisoire et vaguement pitoyable. Il s'aperçut qu'il était couvert de sueur, entendit l'orage gronder sur la vallée, au loin, et une grande lassitude l'envahit. Il lâcha sa fourche comme si elle le brûlait, tressaillit, eut peur de voir Alphonse se réveiller, et partit vers la maison où il prévint Rose et Baptiste. Ceux-ci le réconfortèrent, l'emmenèrent dans la chambre de Julia qui demandait ce qui se passait, puis ils le couchèrent près de Lisa endormie. Là, il entendit Baptiste sortir avec Rose, mais c'est à peine s'il perçut leur retour, cinq minutes plus tard. Déjà il s'endormait, serré contre la petite qui gémissait doucement dans son sommeil.

Il guettait le facteur chaque matin, malgré les horaires fantaisistes de la tournée. Dès l'instant où ce dernier s'éloignait sur la route sans avoir pris le chemin du Verdier, Daniel avait besoin de se réfugier près de Julia. Il aimait cette grande cheminée que tout le monde appelait le cantou, où les flammes dansaient sans cesse sur des bûches énormes. Il grignotait un morceau de gâteau de maïs, le partageait avec Lisa assise près de lui, et il écoutait Julia qui savait si bien le rassurer :

— Porte pas peine, disait-elle, là où ils sont, tes parents, ils risquent rien. La seule chose qui compte, c'est de bien manger, bien profiter de la campagne pour qu'ils soient contents quand ils reviendront.

Mais Julia ne savait pas que rassurer ou consoler. Elle racontait de sa voix chantante sa jeunesse, le temps où elle était « placée » comme bergère dans les fermes ; elle parlait avec nostalgie des fêtes votives de son adolescence au cours desquelles elle dansait polkas et mazurkas, des fêtes de carnaval, des Rogations, de ses parents morts peu après ses quatorze ans. Elle avait connu Baptiste lors d'une louée, aux foires d'automne de Florac : il était venu avec son père qui cherchait une servante, sa femme étant morte de pneumonie un an auparavant. Peu à peu, Julia avait pris de l'importance dans la maison du Verdier, et après le départ de Louis pour Paris, Baptiste avait demandé à la demoiselle de l'épouser. Julia ne l'avait pas regretté. D'ailleurs, parlant de Baptiste, elle le disait toujours bon comme du pain chaud et assurait qu'avec lui elle avait été heureuse comme elle n'avait jamais osé l'espérer.

En écoutant Julia, Daniel oubliait tout, même Alphonse qui semblait le fuir depuis la nuit des battages, même la guerre, même l'absence de ses parents dont les lettres n'arrivaient plus. Il sortait avec regret, et seulement si Julia insistait en disant :

— Allez jouer dehors; il faut profiter du soleil à votre âge. Le mauvais temps arrivera bien assez vite. Rejoignez donc Baptiste, il doit s'occuper de ses ruches.

Daniel entraînait Lisa sur le chemin qui, derrière la maison, se fraye un passage entre les blés vers une petite butte exposée au sud où poussent des noisetiers. Baptiste les entendait arriver, mais feignait de ne pas s'en apercevoir. Les enfants s'asseyaient à quelques pas de lui, à l'ombre d'un vieux saule, sachant leur récompense proche. Baptiste se retournait brusquement, faisait semblant d'être surpris, puis il reprenait son travail en murmurant des mots inintelligibles destinés aux abeilles dont la ronde paraissait redoutable. Mais non; malgré ses mains nues, elles ne le piquaient jamais, et Daniel, émerveillé, se disait qu'elles comprenaient son langage, qu'il entretenait avec elles des rapports magiques dont lui seul connaissait le secret. Enfin il venait vers eux, détachait un rayon de miel et le leur partageait. Lui n'en mangeait pas : son seul plaisir était de les observer avec, au fond des yeux, cette lumière dorée comme le miel dont il les régalait. Daniel le questionnait sans cesse, et le grand-père en tirait une évidente satisfaction.

— *Coï qué,* je les caresse, répondait-il ; mais avant je leur explique pourquoi je leur prends le miel. Je leur dis que c'est pour les enfants.

— Et elles te croient ?

— Pardi qu'elles me croient ! Il suffit de bien les connaître ; tu comprends, les abeilles, il y en a trois sortes : la reine qui est la seule à pondre des œufs, les mâles ou faux bourdons qui servent à la reproduction, et les ouvrières qui ne pondent pas et se nourrissent du nectar des fleurs qu'elles transforment en miel. Moi, c'est aux ouvrières que je m'adresse, parce que c'est avec elles, surtout, que je travaille.

Les deux enfants se remettaient à manger, suçaient leurs doigts en écoutant Baptiste, et Daniel apprenait un peu chaque jour la vie des abeilles, mais aussi celle des arbres et des fleurs.

— Le pollen, expliquait Baptiste, c'est la semence portée par les étamines des fleurs. Sa poudre est jaune, orangée ou parfois rouge. Pour que la plante puisse former des graines et se reproduire, il faut que le pollen se pose sur la partie renflée à la base du pistil. Tiens, là, regarde !

— Baptiste, qui t'a appris tout ça ? demandait Daniel.

— Suffit de regarder, mon gars ; moi quand j'avais ton âge, que je gardais les vaches, je passais mon temps à faire provision de tout ce que je voyais.

Et rien n'arrêtait le grand-père qui racontait comment les abeilles grattent le pollen avec leurs pattes antérieures et leurs mandibules, comment, en ajoutant des hausses, on évite l'essaimage, ou comment, en mai, les ouvrières aménagent des grandes cellules pour y élever une demi-douzaine de jeunes reines.

Quand Baptiste, muni de son enfumoir, se relevait enfin pour achever son travail, les enfants l'attendaient. Plus tard, ils rentraient ensemble par des chemins dérobés, et Baptiste s'arrêtait pour leur faire écouter le coucou, parfois surprendre un putois, une fouine, ou même l'une de ces hermines qui emportent les canetons dans les halliers lourds de ténèbres.

Si Rose tardait à revenir, l'enfant reprenait sa place face à Julia qui le questionnait sur l'état des ruches ou la qualité du miel. Elle s'inquiétait de toutes sortes de choses dont on la croyait ignorante : la maladie d'un noisetier, la nichée des poules faisanes dans une pâture, la prolifération des lapins que l'on ne chassait plus depuis la confiscation des fusils. Une fois sa curiosité satisfaite, elle déroulait interminablement le fil de ses souvenirs. Alors se dressaient devant Daniel l'arracheur de dents des foires anciennes, les marchands d'eau de Jouvence, les ramoneurs noirs de suie. Il lui semblait vivre aussi cette enfance, se réchauffer les mains aux pommes des landiers, manger les pralines de l'an, dormir sur des matelas de feuilles de maïs dans lesquels on creusait un trou pour ne pas avoir peur, ces nuits d'hiver hantées par les loups-garous, le Drac, ou la Dame blanche.

Que de découvertes! Que de secrets percés! Riche de ces trésors, il regrettait seulement de se sentir heureux dans un univers qui resterait toujours étranger à son père et à sa mère. Il se disait qu'il avait deux vies, mais qu'elles ne coïncideraient jamais, et il en concevait du dépit. Il sentait confusément combien ces moments étaient rares et combien il avait de la chance, entre les confidences de Julia et de Baptiste, de pénétrer dans un monde qu'il avait failli ignorer.

Ainsi, cet été-là, il versa avec un réel plaisir les lourds paniers de prunes dans le chaudron de cuivre posé sur le trépied, il aida Rose à garnir à la cuillère les pots en verre blanc, il mangea la confiture tiède à pleins doigts, ou le sucre fondant qui dégoulinait sur la table. Dès lors, malgré ses efforts pour ne rien oublier de son passé, il acquit la conviction que ce ne serait pas le même enfant que son père et sa mère, un jour, bientôt, retrouveraient.

A quelque temps de là, un matin comme il sortait de la grange, il aperçut deux gendarmes à vélo sur le chemin. Croyant à une trahison d'Alphonse, il n'eut pas une hésitation et s'enfuit par le sentier des ruches, puis, à travers champs, vers les grands arbres qu'il devinait au loin, sur une colline. Il trouva une vigne, s'allongea entre les ceps pour se reposer, tendit l'oreille, mais seul un silence brûlant pesait sur la vallée. Il se calma un peu, se mit à réfléchir. Où aller, puisque, malgré les menaces de Julia, Alphonse l'avait dénoncé aux gendarmes ? Il était perdu. Il devait fuir, et le plus loin possible.

Comme il avait soif, il mangea une grappe de raisins dont les grains étaient à peine mûrs, puis il se releva et repartit avec dans sa bouche un goût d'amertume. Un peu plus loin, il distingua les cheminées d'un hameau isolé, sous des peupliers. Il fit alors un détour par un champ de tabac, regretta vaguement de ne pas avoir pris la direction de la rivière, où, peut-être, il aurait trouvé une barque. Cette idée l'incita à ne pas trop s'éloigner. Il marcha cependant quelques centaines de mètres sur un chemin de terre, traversa un pré à l'herbe grillée, entendit un chien aboyer derrière un rideau d'arbres, obliqua vers la gauche et trouva enfin une grange abandonnée où il se réfugia. Là, une charrette bleue attendait qu'on voulût bien réparer sa roue droite aux barreaux cassés. Entre elle et le mur aux pierres descellées, un tas de paille vieille de plusieurs mois côtoyait des fagots de sarments. Il se glissa derrière la charrette, s'allongea sur la paille et ne bougea plus.

Il passa la majeure partie de la matinée sans sortir, attentif aux bruits environnants, tout en suivant le cours d'obscures pensées : Julia avait-elle tué Alphonse ? Si oui, elle irait en prison jusqu'à la fin de sa vie. L'enfant imagina Baptiste seul avec Rose et Lisa, incapables de venir à bout du travail de la ferme. Qu'allaient-ils devenir ? Ne devait-il pas rentrer avant que le malheur ne s'abatte sur le Verdier ? Mais il se vit aussitôt aux mains des Allemands et se souvint des paroles de son père : « Ne jamais se laisser prendre, ne jamais dire qui il était, mais fuir, toujours fuir, et le plus loin possible. »

Il eut faim, puis il eut très soif. Il quitta alors sa cachette avec précaution, chercha une vigne, mais n'en trouva point. Revenant sur ses pas, il aperçut deux pommiers derrière des aulnes, s'en approcha, remplit ses poches de petites pommes jaunes tavelées de brun. Cependant, comme il regagnait la grange, il entendit crier un homme, puis, distinctement, le trot d'un cheval. Il avança le long d'une haie, se dissimula derrière un églantier, regarda l'attelage passer en soulevant une épaisse poussière. Et tout de suite il sut où il devait aller ; cela lui parut même tellement évident qu'il se demanda pourquoi il n'y avait pas pensé plus tôt. C'était pourtant simple : Maurice, le forgeron, et sa femme, Adélaïde, sauraient le cacher. A cette pensée, soulagé, il revint vers la grange où il mangea ses pommes en réfléchissant à la manière d'entrer dans le village sans être vu. Il suffisait d'attendre la nuit et, pour ne pas se perdre en chemin, de s'en approcher avant le crépuscule.

Fort de cette résolution, il patienta pendant l'après-midi habité seulement par le bourdonnement des mouches et le murmure des maïs proches. Il ne douta pas une minute d'être accueilli par Maurice et Adélaïde, et le souvenir du lait de jument l'emplit de quiétude. Pourtant, à l'heure de quitter son refuge, une légère émotion s'empara de lui, comme à l'approche d'un danger. De plus, il se perdit dans une friche, retourna sur ses pas, hésita, trouva enfin la vigne du matin. Le clocher du village sonna bientôt huit coups. Autour de Daniel, l'été adouci par le soir exhalait des parfums de tilleul et de raisins. Des essaims de moucherons tournoyaient au-dessus des grappes, des appels de femme arrivaient d'une ferme voisine, un lièvre roux trotta vers lui, fit un bond par-dessus la rangée de vigne en l'apercevant. Enfin un soupir tiède déposa la nuit sur la vallée, et Daniel put se mettre en route.

Il aborda le village par la rue qui menait au café, croisa des hommes au verbe haut, un garçon qui lui tira la langue, une femme avec un râteau sur l'épaule, tourna à droite et découvrit, satisfait, la porte grande ouverte de la forge. Il y entra, demeura un instant dans l'ombre, le souffle court, tâtonna, trouva un escalier, monta les marches de bois. Il poussa une porte et reconnut aussitôt le maréchal-ferrant en maillot de corps qui mangeait sa soupe, dos tourné, et ne le vit pas. Adélaïde l'aperçut la première, en portant un plat de tomates qu'elle faillit lâcher.

— Ça par exemple ! Qu'est-ce que tu fais là, toi ?

Maurice se retourna et, stupéfait, dévisagea l'enfant comme s'il ne le reconnaissait pas.

— C'est le petitou de Julia et de Baptiste, dit Adélaïde, celui qu'ils ont cherché toute la journée. Mais où étais-tu donc passé, *galoupaïre* ?

Daniel s'expliqua du mieux qu'il le put, se retrouva assis devant une assiette de soupe, mais il ne parvint pas à justifier sa peur des gendarmes.

— Mange, va, dit Adélaïde, tu dois avoir faim, pas vrai ?

Il avait faim, en effet, mais il était incapable d'avaler la moindre bouchée. Il se souvenait des paroles de son père : « Quoi qu'il arrive, tant que la guerre durera, il ne faudra jamais dire que tu es juif. » Pourquoi avait-il envie d'avouer, ce soir, dans cette cuisine où flottait un parfum de pain chaud, face à cet homme et cette femme qu'il n'avait pourtant vus qu'une seule fois ? Il franchit le pas brusquement, comme on se jette à l'eau, dans un élan de confiance instinctive. Levant la tête, il murmura :

— Je me suis enfui parce que je suis juif.

Adélaïde roula des yeux étonnés, Maurice posa sa fourchette sans le quitter des yeux. Il y eut un instant de silence qui parut durer mille ans à l'enfant.

— Ça alors ! C'est pas possible ! s'exclama Adélaïde.

Daniel perçut un malaise que le silence augmenta. Une pince géante se referma sur sa poitrine. Il lui sembla que Maurice et sa femme le considéraient avec un regard différent, et il se sentit vraiment différent d'eux, presque honteux. De longues secondes passèrent, une blessure s'ouvrit en lui. Ce fut le forgeron qui parla le premier :

— *Macarel !* dit-il, si c'est vrai, tu leur ressembles pas.

Il se reprit aussitôt, gêné :

— Enfin ça se voit pas, quoi, c'est pas écrit sur ton front.

— Allez, fit Adélaïde, ça ne fait rien, va, c'est pas de ta faute.

Pourquoi se sentait-il si mal, alors que ses hôtes lui souriaient ?

— Et puis, reprit le forgeron, y a pas de danger, on travaille pas pour Vichy.

— D'ailleurs, renchérit Adélaïde, tu es le

98

petit-fils de Louisou, tout le monde le sait au village; alors tu vas manger la soupe et après on te ramènera chez la Julia.

Comme elle le servait, l'enfant chercha à dissimuler les larmes qui lui montaient aux yeux. Baissant la tête, il porta la cuillère à sa bouche, et le bras d'Adélaïde entoura ses épaules.

— T'inquiète pas, souffla-t-elle, ici tu risques rien.

Il aurait voulu leur dire qu'il n'avait pas peur, qu'il souffrait d'autre chose, mais comment expliquer à ces deux vieux que leur réaction l'avait blessé?

— Mange, mange, dit Adélaïde, il ferait beau voir que tu sortes de chez moi avec le ventre creux.

Et elle s'insurgea contre ce monde de fous où l'on traquait les enfants, cette maudite guerre qui n'en finissait pas, comme si la terre n'était pas assez grande pour permettre aux Blancs, aux Rouges et aux Noirs d'y vivre en paix. Elle parlait, elle parlait, mais il semblait à Daniel que ses mots sonnaient faux et il ne cessait de penser à leur premier réflexe d'hostilité. La surprise et la douleur ne s'estompaient pas, même si la bonne chaleur de la soupe rendait à son corps l'énergie dépensée au long de la journée.

Quand il eut fini le contenu de son assiette, Adélaïde l'embrassa sur les joues et lui dit :

— Tiens! tu aurais les cornes du diable sur la

tête que Maurice et moi on te garderait avec nous pour souffler sur la forge.

Il se força à sourire, n'osa refuser la pomme cuite proposée par Adélaïde et, malgré la nausée qui lui soulevait le cœur, il se remit à manger.

— Ils s'en sont fait du mauvais sang! dit Adélaïde. Toute la journée qu'ils t'ont cherché, les pauvres!

De penser à Baptiste, Rose et Julia, lui fit du bien. Il n'eut dès lors qu'une envie : revenir au Verdier le plus vite possible. Mais comment le dire à Maurice et à sa femme sans les vexer? Il se résigna à manger en silence, pendant dix minutes qui lui parurent durer indéfiniment.

Enfin, sur la demande d'Adélaïde, Maurice se leva pour atteler la charrette.

— Il faut pas les faire attendre plus longtemps, dit-elle. Si ça se trouve, ils cherchent encore!

Elle débarrassa la table et Daniel, enfin délivré de leur regard insistant, se sentit un peu mieux. Il se leva, déclara :

— Je vais aider Maurice.

— Oui, mon petit, vas-y, j'arrive tout de suite.

Cinq minutes plus tard, il s'installait sur la banquette entre le forgeron et sa femme. La nuit d'été promenait sur la vallée des parfums d'herbes et de feuilles. Adélaïde avait passé son bras autour de ses épaules et il sentait sa chaleur contre lui. Alors, pour oublier, fermant les yeux, il se força à penser à leur rencontre, le matin où elle lui avait donné ce fameux lait de jument dont la saveur, brusquement retrouvée dans sa mémoire, adoucissait maintenant son amertume.

Le dimanche suivant, Julia lui demanda de suivre Rose à la messe. Il eut beau refuser, pré-texter du fait que cela lui était interdit, la grand-mère affirma :

— Le bon Dieu est le même pour tout le monde, qu'on lui parle dans une église ou dans une synogue.

— Une synagogue, rectifia l'enfant.

— Si tu veux. Pour le bon Dieu, *Coï porié.*

— Oh! *Per oquo*! fit Baptiste qui, debout devant la table, faisait mousser son blaireau. Vous pouvez pas le laisser en paix, ce petit? C'est pas un peu d'eau bénite qui lui rendra ce qui lui manque.

— En tout cas, j'en connais un qui ne se noiera pas dans un bénitier, fit Julia.

Ils se disputèrent malicieusement, comme à chaque fois qu'il était question d'église ou de religion. L'enfant, pendant ce temps, se posait des questions : il ne respectait pas le schabbat du samedi, mangeait sans doute sans le savoir de la nourriture impure, oubliait le Shéma, que se passerait-il si d'aventure il entrait dans une

église? N'allait-il pas être frappé par la foudre
céleste ou perdre son âme à tout jamais? Et si,
par habitude, il esquissait des gestes défendus
ou prononçait des mots interdits, ne se trahi-
rait-il pas aux yeux des villageois? Il voulut
protester, mais Baptiste, en s'adressant à Rose,
ne lui en laissa pas le temps :

— Allez, emmène-le, va! Au moins, comme
ça, on le croira tout à fait de chez nous.

Puis il affûta son rasoir à deux branches avec
des gestes savants, d'une grande lenteur.
Ensuite, il fit mousser son savon avec le blaireau et badigeonna sa barbe vieille d'une
semaine. Tandis qu'il commençait à se raser
avec d'affreuses grimaces, Daniel essaya d'imaginer son père en train de se raser ailleurs, très
loin, et son esprit s'évada vers un pays merveilleux, une maison semblable à celle qui, à Paris,
avait abrité des dimanches heureux.

Cependant l'idée d'un sacrilège recommença
de le hanter en faisant sa toilette dans le baquet
amené par Rose dans sa chambre. Seul dans la
pièce inconnue — il avait insisté pour que Rose
sortît, se déshabillant seulement une fois la porte
refermée —, il essayait de se représenter des
dieux concurrents trônant de part et d'autre du
ciel, et se disputant les faveurs des humains.
Cette idée lui parut si absurde qu'il fut persuadé
que Julia avait raison. Rassuré, il se lava, se

sécha, puis s'habilla très vite avec ses vêtements de fête.

Dix minutes plus tard, il se retrouva près de Lisa sur la charrette, tandis que sur la banquette avant, à côté de Rose, Alphonse tenait les rênes. Mais ce n'était pas pour les accompagner à l'église qu'Alphonse avait mis son costume : comme beaucoup d'hommes alors, dans les campagnes, il profitait de la grand-messe de onze heures pour se rendre au bistrot où il jouait aux cartes et buvait des apéritifs. C'était d'ailleurs une source de dispute, car Rose ne parvenait pas à le faire repartir, et l'on mangeait tous les dimanches à « l'heure des vêpres », comme disait Julia.

Déjà, là-bas, les cloches appelaient dans le matin où flottaient des odeurs de bouses sèches et d'aubépines. Le trajet parut très court à l'enfant qui suivait des yeux les oiseaux dont il demandait le nom à Rose. Ils furent interrompus à l'entrée du village par des salutations lancées joyeusement, comme en se moquant. Daniel pensa que la présence d'Alphonse n'y était certainement pas étrangère. Il y eut plusieurs reparties de la même veine, puis Alphonse arrêta enfin la charrette sur la place encombrée, attacha la bride du cheval aux grilles d'un jardinet, aida les enfants à descendre et s'en fut aussitôt vers le bistrot d'où s'échappaient déjà les cris des joueurs de belote.

— *Oh la yéou,* cet homme ! gémit Rose en le regardant s'éloigner.

Elle soupira, puis, haussant les épaules, elle entraîna les enfants vers le porche. Là, Daniel fut pris de panique, car tout le monde le regardait.

— *Lou pitiou-fils* de Louisou, répétait Rose, ravie d'être pour une fois un centre d'intérêt.

L'enfant, lui, s'efforçait de se cacher derrière elle et feignait de s'occuper de Lisa. Bientôt les cloches s'arrêtèrent de sonner. Il fallut entrer dans l'église. Daniel faillit faire demi-tour, mais une vieille toute de noir vêtue le prit par l'épaule et le poussa en avant. En franchissant la marche, il ferma les yeux, retint sa respiration, s'attendant au châtiment. Une odeur de cierge, de buis et de fleurs le fit chanceler. Une douce musique s'éleva, qui le rassura. Il rouvrit les yeux : il était toujours debout, bien vivant. Il se retrouva à deux rangées du chœur, contre le mur, tout près de Lisa.

— Regarde devant toi, chuchota Rose.

Il examina le retable, les stalles de bois, les cierges et le curé dont la chasuble lui rappela vaguement celle des lévites. Celui-ci se mit à parler dans une langue qui n'était pas de l'hébreu. Il fallut s'asseoir, se lever, se mettre à genoux sans rien comprendre à ce qui se passait. Daniel ignora Lisa qui demeurait comme à son habitude tournée vers lui, et il récita mentalement le Shéma en espérant ainsi atténuer les effets de sa trahison. Puis, comme il se sentait toujours coupable, il le récita encore trois fois, avec une grande sincérité. Ensuite il se demanda si l'habitacle de bois au centre du retable ne figurait pas l'arche qui contenait les rouleaux de la Thora, mais le curé en sortit un objet de métal richement décoré. Il y eut une prière collective dans la même langue inconnue, après quoi tout le monde s'assit avec une évidente satisfaction. Le curé monta alors en chaire et parla, heureusement, en français. Daniel remarqua qu'il disait un peu les mêmes choses que le rabbin et en fut vaguement satisfait. Lisa s'assit par terre, entre deux chaises, malgré les reproches de Rose qui essaya vainement de la faire lever. Le sermon dura longtemps, trop longtemps pour l'enfant qui en perdit le fil, puis on se leva de nouveau. Il y eut des chants, de longs moments de recueillement au terme desquels Rose emmena Lisa vers le chœur où elles reçurent du curé une sorte de petit gâteau blanc qui donna envie à Daniel. S'efforçant de se faire oublier, il se serra contre le mur, évitant de regarder vers l'allée où des yeux inquisiteurs, lui semblait-il, le surveillaient.

Sa sensation de malaise se réveilla et il respira difficilement jusqu'à la fin de la cérémonie. Il se sentit seulement soulagé au moment où les fidèles se levèrent pour gagner la sortie. Alors il se faufila entre eux pour retrouver plus vite l'air libre et la lumière, sur la place où il y avait foule. Là, se dirigeant vers la charrette sans perdre de temps, il passa entre des villageois occupés à discuter par petits groupes avec de grands gestes et des exclamations :

— Et le père ? Et la mère ?

— Ça va !

— Et chez vous ? Les enfants ?

— Tout le monde va bien, merci.

— Allez, *Adissias* !

— Au revoir ! Portez-vous bien !

Il se réfugia dans la charrette avec toujours la même impression d'être épié, guettant l'arrivée de Rose qui ne semblait pas pressée. Elle venait d'être accostée par des personnes de sa connaissance, dont les têtes se tournèrent vers lui. Il se laissa glisser vers le fond de la charrette et retint son souffle durant tout le temps que dura la conversation. Cependant, à peine Rose eut-elle quitté ses interlocuteurs que d'autres surgirent. Daniel se dit que tous les gens du village devaient être parents, et il se résigna à une longue attente. Quand elle revint enfin, un quart d'heure plus tard, elle lui confia la petite et s'en alla vers le café.

— N'aie pas peur, dit Daniel à Lisa.

Comme à son habitude, elle saisit un bout de chemisette et ne le lâcha plus, tout en le dévisageant d'un air conquis. Cinq minutes passèrent durant lesquelles l'enfant observa les paysans qui entraient et sortaient des boutiques avec des mines réjouies, liaient conversation, repartaient, s'arrêtaient, mus par de mystérieuses nécessités. Rose revint seule, l'air accablé, au moment où la place commençait à se vider. Elle monta péniblement sur la charrette, attendit deux minutes, silencieuse, puis souffla en fermant les yeux :

— Il me rendra folle, cet homme.

Elle fit pitié à Daniel qui sentit monter en lui une onde de colère.

— Il faut partir, dit-il, quelqu'un le ramènera.

Elle se tourna brusquement vers lui, parut seulement s'apercevoir de sa présence et de celle de Lisa. Elle hocha la tête, mais n'esquissa pas le moindre geste.

— Partons ! insista Daniel.

Le regard de Rose courut de l'enfant à la porte du café, puis du café à l'enfant, mais elle ne put se décider, trop habituée qu'elle était à subir. Daniel descendit de la charrette, dénoua les rênes, remonta sur la banquette.

— Hue ! fit-il.

Le cheval avança d'abord lentement, puis plus vite dès l'instant où Daniel agita les rênes.

Rose se tourna vers la porte du café avec inquiétude, chercha à arrêter le cheval, mais sans conviction.

— Faut pas avoir peur, Rose, dit l'enfant en apercevant derrière les carreaux une tête qui lui sembla être celle d'Alphonse.

— Oh! Pauvre monde! soupira-t-elle, sans toutefois lui demander de retourner.

Sitôt sortis du village, Daniel respira mieux. Comme Rose ne cessait de soupirer, il lui répéta à plusieurs reprises qu'il ne fallait pas avoir peur, mais celle-ci parut ne pas l'entendre. Il fit claquer le fouet au-dessus du cheval qui se mit au trot. Un sentiment de satisfaction l'envahit : pour une fois, c'était sûr, Julia allait être contente.

Un peu plus tard, salués par les chiens, ils firent une entrée bruyante dans la cour de la ferme. Fier de se conduire comme un homme, Daniel sauta au bas de la charrette, aida Rose et Lisa à descendre. Une fois dans la cuisine, Rose expliqua à sa mère ce qui s'était passé, et celle-ci réagit tout à fait comme Daniel l'espérait.

— A la bonne heure! Tu as bien fait, petit! Mettez-vous à table tout de suite, ça lui servira de leçon!

Chacun s'installa à sa place, Rose servit la soupe, et ils commencèrent à manger en silence, tout en guettant au dehors le bruit de la voiture qui allait apporter la tempête.

Alphonse arriva trois quarts d'heure plus tard, légèrement titubant, conduit par son ami Émile à qui il offrit un verre. Le regard mauvais, la respiration courte, il mangea sa soupe sans un mot, puis il but un verre de vin, se redressa et lança d'une voix neutre :

— Cet après-midi, j'emmènerai la petite avec moi.

Les cuillères demeurèrent suspendues, chacun retenant son souffle.

— Où tu veux l'emmener ? demanda Rose avec une sorte de plainte.

Alphonse prit le temps d'avaler une bouchée de pain, jeta :

— Sur le bateau.

Et il ajouta aussitôt, ménageant ses effets :

— J'ai besoin de quelqu'un pour écoper à l'avant.

Rose pâlit, Baptiste ferma les yeux en soupirant et Julia reposa bruyamment sa cuillère dans son assiette.

— Vous savez bien qu'elle a peur de l'eau, cette petite, fit-elle. Vous voulez qu'elle se noie ?

Alphonse sourit, répondit :

— C'est justement pour qu'elle n'en ait plus peur que je veux l'emmener. Au bout de trois ou quatre virées en bateau, elle pourra plus s'en passer.

Rendue furieuse par cette mauvaise foi, Julia répliqua :

— Vous n'avez pas besoin d'elle ; vous savez très bien qu'elle ne vous servira à rien.

Daniel essayait vainement de deviner où Alphonse voulait en venir. Lisa, elle, ne se doutait de rien et gardait le regard fixé sur lui, tandis qu'un sourire errait sur ses lèvres entrouvertes. Daniel se rendit compte alors combien elle aurait peur sur une barque. Il prit une profonde inspiration, proposa :

— Je peux y aller, moi.

Il ajouta, comme nul ne répondait :

— D'ailleurs, je sais nager.

Alphonse fit mine d'hésiter, interrogea Julia du regard, puis Rose, et enfin Baptiste qui détourna la tête.

— Si vraiment il vous faut quelqu'un, emmenez le petit, dit Julia, puisqu'il veut bien.

Il y avait comme une prière dans sa voix et Daniel comprit qu'elle lui était adressée.

— Oui, j'aimerais bien, souffla-t-il.

Alphonse, de nouveau, fit semblant de réfléchir, soupira, puis, comme s'il lui en coûtait :

— Entendu ! Mais c'est bien pour lui faire plaisir !

L'éclair qui passa dans ses yeux emplit Daniel de crainte mais, comme Rose et Julia paraissaient soulagées, il s'efforça de l'oublier jusqu'à la fin du repas.

Cependant, au moment de quitter la ferme, il eut une hésitation qui n'échappa ni à Baptiste ni

110

aux deux femmes. Il se raffermit seulement en pensant à Lisa qui, insouciante, s'amusait avec des cailloux sur le seuil, et il adressa un clin d'œil à Baptiste avant de s'éloigner. Celui-ci le retint un instant, souffla :

— Sois prudent, mon petit.

Il hocha la tête, rejoignit Alphonse qui s'impatientait, un sac sur l'épaule, et ils s'éloignèrent tous les deux sur le chemin de la rivière.

La barque, qui se trouvait un peu plus loin que la pâture, était attachée par une chaîne au tronc d'un frêne. C'était un long bateau relevé aux extrémités, semblable à tous ceux dont usaient les pêcheurs de la Dordogne. Trois planches clouées sur les rebords permettaient de s'asseoir. Daniel prit place sur celle qui se trouvait à l'avant, Alphonse sur celle de l'arrière, le milieu du bateau étant réservé aux prises de la pêche.

D'un coup souple donné avec la longue rame contre la berge, Alphonse mit la barque en mouvement. Celle-ci, dérivant un moment, vint se placer perpendiculairement au léger courant, puis Alphonse la fit progresser à coups réguliers vers la rive opposée qu'elle atteignit en moins de cinq minutes. Là, elle entra dans un calme où l'enfant se pencha pour apercevoir des profondeurs sombres et mystérieuses. Alphonse l'immobilisa à l'entrée d'un bras mort où poussaient des nénuphars sur lesquels voletaient des libellules bleues. Il ne parlait pas, ne regardait même plus Daniel dont la crainte s'estompait peu à peu. Il était tout à sa passion de la pêche, usait de gestes savants, oubliait tout le reste. Il tira sans bruit sur un fil d'acier, ramena une nasse grillagée qu'il hala par-dessus bord. Des poissons d'argent se débattirent, faisant gicler l'eau. Il ouvrit le couvercle, libérant un énorme brochet, une perche et deux barbeaux aux nageoires frémissantes, puis il laissa redescendre la nasse, toujours en silence, mais avec un signe de tête que l'enfant comprit aussitôt. L'eau, en effet, entrait dans le bateau par une fissure située à quelques centimètres de ses pieds. Il se saisit de la vieille casserole destinée à cet usage et se mit à écoper en s'efforçant de faire le moins de bruit possible. La barque glissa sur des calmes de plus en plus profonds d'où émergeaient parfois des branches d'arbres ou des rochers. Alphonse retira ses nasses à cinq ou six reprises. Il en coula des truites, d'autres brochets, d'autres barbeaux, et même des perches arc-en-ciel dont les couleurs émerveillèrent Daniel qui partageait à présent l'émotion d'Alphonse au moment où apparaissaient les poissons.

La pêche dura encore une vingtaine de minutes, puis Alphonse, paraissant s'éveiller d'un songe, quitta les rives sombres, traversa la rivière en se laissant porter par un courant plus vif sous lequel on apercevait des galets moussus. La barque longea des remous, vint s'arrêter au milieu d'une petite anse où l'eau dormait sur une faible profondeur.

— C'est vrai que tu sais nager? demanda Alphonse.

— Un peu, dit Daniel.

— Eh bien, vas-y, baigne-toi, ça te fera du bien avec cette chaleur.

L'enfant hésita, mais Alphonse souriait. Il se dit que la complicité de la pêche les avait rapprochés et qu'il n'avait rien à craindre de lui, du moins sur la rivière. Il enleva sa chemise, ses sandalettes, garda son short et, après un regard vers Alphonse toujours souriant, il se laissa glisser dans l'eau qui lui parut glaciale. Il fit quelques brasses, retourna, vit Alphonse enfoncer la rame dans l'eau.

— J'avance un peu, dit celui-ci, rejoins-moi.

Ce fut bref et douloureux, comme une brûlure : en un éclair l'enfant comprit pourquoi Alphonse l'avait amené là, dans cette anse cachée de la rivière, et le piège tendu par l'intermédiaire de Lisa. Il en fut persuadé : dès la première seconde où, pendant le repas, Alphonse avait ouvert la bouche, il n'avait pensé qu'au moment où il le tiendrait en son pouvoir et pourrait se venger à sa guise. Daniel accéléra, tenta de s'agripper à la barque, mais en deux coups de rame Alphonse se rapprocha des remous et du grand courant qui, un peu plus haut, butait sur la rive en faisant éclore des tourbillons d'écume. L'enfant gémit, ses bras devinrent lourds dès qu'il entra dans l'eau blanche. Il trouva la force de crier : « Alphonse, Alphonse ! », devina le sourire de l'homme, renonça à se battre contre la masse liquide qui l'emportait puis, aveuglé, le souffle court, se remit à lutter par instinct. Pas longtemps. Dix, vingt secondes. La barque se trouvait maintenant à cinq mètres de lui. Dans un ultime effort, il retint sa respiration, essaya de l'atteindre, mais ses muscles tétanisés ne le lui permirent pas. Il pensa qu'il allait mourir là, bêtement, devant un homme qui le regardait se débattre sans lui porter secours ; il revit ses parents, puis Lisa, Julia, et il se laissa lentement couler en fermant les yeux.

Il revint à lui sur la berge, étendu sur le dos, au terme d'un laps de temps qu'il fut incapable d'évaluer. Alphonse, assis près de lui, souriait :

— Je croyais que tu savais nager.

Daniel ne répondit pas. Il tremblait, les dents serrées, tout entier à son horreur de cet homme qui faisait resurgir en lui des abîmes oubliés.

— Tiens ! ta chemise, dit Alphonse.

La tête bourdonnante, Daniel parvint à s'asseoir, enfila sa chemise, se frotta le torse et le ventre, muet, trop douloureusement blessé pour songer à une vengeance immédiate. Il n'était que colère et révolte, mais il savait déjà qu'il ne se plaindrait à personne, car parler eût été consentir à une défaite supplémentaire. Non ! il se battrait, il finirait par gagner et ce serait aussi la victoire de Baptiste, de Rose et de Julia. Pour l'instant, il devait effacer de sa mémoire ce qui venait de se passer, se sécher le plus vite possible, recouvrer des forces. Aussi, quand Alphonse lui demanda de remonter dans la barque, il refusa en disant :

— Je rentrerai à pied, je n'ai besoin de personne.

— A ton aise, mon gars, mais ne t'avise pas de raconter quoi que ce soit ; pense aux gendarmes, ils seraient contents de faire ta connaissance.

L'enfant ne répondit pas. Alphonse s'éloigna, monta dans sa barque, traversa la rivière et longea la rive opposée tout en jetant de brefs regards vers Daniel. Bientôt, celui-ci ne le vit plus, de grands bouleaux s'étant interposés entre la barque et lui. Il s'allongea dans l'herbe, face au soleil, ferma les yeux sans parvenir à oublier le sourire d'Alphonse, mais sans la moindre larme, au contraire : maintenant une onde de violence enflait en lui, le dévastait. Il s'imagina dans la grange, une fourche à la main, devant Alphonse impuissant. Il se vit en train de frapper, mais la pensée de Rose et de Lisa l'arrêta. Il inspira profondément. Le soleil, à présent, le réchauffait, et les battements de son cœur

115

s'espaçaient. Il se coucha sur le ventre, ne bougea plus jusqu'au moment où il sentit une brûlure sur ses reins. Le parfum de l'herbe chaude fleurie d'orchis, le murmure des grands peupliers sous lesquels il était allongé l'apaisèrent. Son tumulte intérieur diminua. Il se leva. Il avait chaud. Des papillons volaient autour de lui, l'air sentait le maïs et le blé. Il se mit en marche lentement vers la ferme en longeant la rivière, ne tarda pas à rencontrer Baptiste.

— Il t'a fait des misères, Alphonse ? demanda celui-ci.

— Non, répondit l'enfant sans une hésitation, mais j'en avais assez de la barque.

Le grand-père sembla soulagé.

— On s'est inquiété, dit-il.

Daniel respira bien à fond, murmura :

— Je me suis endormi.

Ils marchaient dans un sentier bordé de fougères et de hautes herbes, parmi lesquelles le bleu des mauves et des marjolaines éclatait par bouquets. Baptiste prit la main de l'enfant qui, un peu plus loin, à l'instant où ils aperçurent la rivière, demanda :

— Si quelqu'un se noyait dans la Dordogne, son corps voyagerait jusqu'à la mer ?

Baptiste, surpris par la question, l'arrêta par l'épaule et murmura avec une pointe d'inquiétude dans la voix :

— Pourquoi tu me demandes ça, petit ?

116

— Comme ça, pour rien, souffla Daniel en feignant l'indifférence.

Rassuré, Baptiste se remit en route et répondit :

— Il faudrait que l'eau soit haute pendant plusieurs jours.

Il ajouta, ralentissant sa marche :

— Mais c'est déjà arrivé qu'on ne retrouve pas les noyés. Alors à savoir jusqu'où ils sont allés ?

L'enfant fit semblant de s'intéresser au chien qui se tenait à l'arrêt devant une haie. Baptiste s'arrêta aussi, jeta une motte de terre dont la chute provoqua le départ d'un lapereau.

— Regarde-le filer, dit Baptiste. Faut-il qu'il soit jeune pour quitter son terrier en plein jour !

Daniel se remit en marche, l'esprit ailleurs. Il songeait à l'instant où il s'était laissé couler dans le grand remous à l'écume blanche. Il fut surpris par cette agréable sensation de délivrance, de sommeil paisible qui, soudain, provoquait en lui comme un regret.

3

Les lettres attendues n'arrivaient toujours pas
et pourtant octobre était proche. Assis face à
Julia, le moulin à café coincé entre ses genoux,
l'enfant ne cessait d'interroger la grand-mère
sur les raisons d'un tel retard.

— T'en fais pas, mon drôle, lui disait-elle;
pour écrire ils attendent sans doute d'être arrivés.

S'il ne se déridait pas, elle ajoutait,
moqueuse :

— Tu sais, sur un bateau, c'est difficile de
trouver une boîte aux lettres.

— Ils m'avaient promis d'écrire souvent.

— Je suis sûre qu'ils le font. Prends patience,
tu recevras toutes leurs lettres en même temps.

Cependant, les jours diminuaient. Il y avait
dans l'air des pointes de vent plus froid que les
pluies de l'automne avaient insensiblement
aiguisées. A la tombée de la nuit, au-dessus des
incendies des lointains, naissaient des vapeurs

violettes qui présageaient des tumultes du ciel. Daniel avait pris l'habitude de s'asseoir face à Julia chaque soir avant le repas. Là, il se confiait à elle avec la satisfaction de rejoindre un passé enfui à des millions d'années. Mais il n'avait rien dit de l'épisode de la rivière, rejetant consciemment cet après-midi-là de sa mémoire, comme il s'en était fait la promesse. Il ne capitulerait pas devant Alphonse, car la fidélité aux serments faits à son père l'exigeait. Et cette fidélité, ce combat étaient la preuve que son père était vivant quelque part et la condition pour qu'il le restât.

C'était aussi par fidélité qu'il s'inquiétait de la proximité du nouvel an juif et du jeûne du Grand Pardon :

— Comment je saurai la date ? demandait-il à Julia, elles ne sont pas inscrites sur ton calendrier.

— Ne t'inquiète pas, répondait-elle, le bon Dieu comprendra que tu ne puisses pas t'en souvenir. Et d'ailleurs, il faut vivre comme nous, c'est ta maman elle-même qui nous l'a demandé.

Les arguments de Julia l'apaisaient. Il recommençait à moudre le café avec un mouvement mécanique du poignet, écoutait le bruit familier des grains écrasés, regardait à ses pieds les flammes bleues, se sentait bien. Julia lui racontait des histoires, lui parlait d'elle, des uns et des autres, de Baptiste, de Rose et de leur vie d'avant. Un jour, comme l'avait fait Baptiste, elle lui expliqua qu'Alphonse n'avait pas toujours été aussi violent et qu'il s'était mis à boire à la naissance de Lisa.

— Il ne faut pas trop lui en vouloir, dit-elle, il méritait pas ça.

Elle ajouta après un soupir, comme Daniel restait silencieux :

— Personne ne méritait ça. Mais regarde-la, notre Lisette, on l'aime quand même, et peut-être plus encore que si elle était comme tout le monde.

L'enfant approuva de la tête, ouvrit le tiroir du moulin à café, alla le vider sur la toile cirée et revint s'asseoir face à Julia.

— Rose, c'est pas pareil, reprit la grand-mère. Elle, c'est de la mie. Elle est incapable de vouloir du mal à quelqu'un. Mais Alphonse, ce malheur l'a rendu fou ; et c'est pas qu'il t'en veuille, mais tu comprends, tu es là, bien vivant, en bonne santé, plein d'intelligence, alors ça lui fait mal quand il voit la petite à côté de toi.

Daniel se sentit mal à l'aise, presque coupable. Il lui semblait même avoir perçu l'ombre d'un reproche. Et s'il y avait quelqu'un dont il n'attendait aucun reproche, c'était bien de Julia.

— Peut-être que j'aurais mieux fait de ne jamais venir ici, souffla-t-il.

— Oh ! Bonté divine ! Entendre des choses

pareilles ! Et comment je ferais, moi, si tu n'étais pas là ?

Elle comprit qu'il ne la croyait pas, reprit :

— Et Lisa, la pauvrette, faut voir quels progrès elle a faits depuis que tu es chez nous !

— C'est vrai ?

— Pardi ! Baptiste est même allé demander au maître d'école si tu pouvais l'emmener avec toi à la rentrée. Si ça pouvait la réveiller tout à fait, que je serais contente !

A l'idée de l'école qui approchait, redoutant d'être identifié comme à Paris par ses nouveaux camarades, Daniel eut la désagréable impression d'avoir à quitter un abri.

— Tu sais, l'école, je m'en passerais bien, murmura-t-il.

Julia eut un haut-le-corps, s'indigna :

— Je voudrais bien voir ça ! C'est pour le coup que ta maman nous remercierait quand elle reviendrait !

Comme l'enfant baissait la tête, elle ajouta :

— D'ailleurs non seulement tu iras à l'école, mais aussi au catéchisme. Tout le monde est d'accord. De la sorte, tu seras vraiment catholique, comme le petit-fils de Louisou.

— Mais je saurai pas ce qu'il faut faire, se rebella l'enfant, au bord des larmes.

— Le curé t'apprendra.

— Mais je n'ai pas le droit ! Et puis ma mère ne sera pas d'accord !

Julia sourit, hocha la tête.

— Ta mère, mon petit, je suis sûre qu'elle nous approuvera : aller au catéchisme, c'est être catholique. Et si tu es catholique, personne ne te voudra du mal.

— On comprendra que ce n'est pas vrai.

— On comprendra rien du tout. Au contraire, si tu continues à vouloir te cacher, à ne pas vivre comme les enfants du village, alors on se demandera qui tu es.

Le sentant ébranlé, elle ajouta :

— A présent, va t'amuser dehors et profiter des derniers jours de vacances. D'ailleurs Rose doit avoir besoin de toi pour la lessive.

Elle précisa, tandis qu'il se levait :

— Elle ira rincer à la rivière demain, et elle vous emmènera.

Il sortit, suivi par Lisa qui ne le quittait jamais plus d'une minute. Il s'interrogeait souvent sur la conduite de la petite, ne la comprenait pas toujours, et il se demandait si elle était capable de vivre loin de lui. Par bien des côtés, pourtant, elle le désarçonnait, manifestant de la joie ou du chagrin aux moments les plus inattendus, entretenant avec les animaux de la ferme des rapports mystérieux dont il se sentait exclu. Ils se parlaient peu, les mots entre eux étant inutiles. Une sorte d'instinct les rapprochait, les faisait percevoir ce qu'ils étaient incapables d'exprimer. Ainsi, il se rendait parfaitement compte de la peur qu'elle éprouvait en présence de son père et, au contraire, de son plaisir à rester près de lui, à le toucher, à tenir sa chemise, à le suivre partout, comme cet après-midi où le vent caressait les feuilles du tilleul, dans la cour où l'automne jetait çà et là des éclats de lumière rousse.

Rose portait à grand-peine un chaudron vers la lessiveuse qui était enclose dans une petite construction de briques rouges, sous laquelle était aménagé une sorte de four.

— Attends, fit Daniel, je vais t'aider.

Rose posa son chaudron plein de cendres, s'essuya le front. Il la rejoignit, saisit l'anse à l'extrémité droite. A eux deux, ils eurent quand même du mal à le porter.

— *Oh la yéou*! Que c'est lourd! gémit-elle.

Devant la lessiveuse, il fallut hisser le chaudron, et ils faillirent le renverser. Rose déplaça le couvercle de fonte. Daniel remarqua qu'elle sentait bon le savon et que sur ses joues colorées des mèches de cheveux échappées de son chignon traçaient des sillons de sueur. Elle versa lentement les cendres dans l'eau qui clapotait au-dessus des draps, replaça le couvercle.

— Il en reste un peu dans la remise, dit-elle.

— J'y vais, fit Daniel.

— Qu'est-ce qu'on deviendrait sans toi?

Il haussa les épaules en riant, mais il aima ces mots dans la bouche de Rose, comme il les avait aimés dans celle de Julia. Car il sentait qu'elles étaient vraiment heureuses de sa présence, et sans doute autant que de celle de Baptiste sur qui elles ne comptaient guère pour les aider. Julia ne lui avait-elle pas dit un jour en parlant de lui :

— Tu sais, notre Baptiste, il a les pieds sur la terre mais la tête dans les nuages. Que veux-tu ? Il a toujours été comme ça, et le Louisou était un peu pareil ; ces Lachaume, ils sont toujours un peu plus loin que leurs sabots. Baptiste, lui, il n'y a guère qu'avec les abeilles et les étoiles qu'il parle.

Daniel revint en rêvant vers la lessiveuse, versa lui-même les cendres tandis que Rose soulevait le couvercle.

— Demain après-midi, on ira rincer à la Dordogne avec le charretou. Le pépé viendra avec nous ; on emmènera les vaches en même temps et on fera « quatre heures » sur le pré.

Ils s'en allèrent après le *mérenda,* Rose un panier au bras, Lisa près d'elle, Baptiste tirant le charretou que Daniel poussait en trébuchant. L'odeur des grands draps lessivés l'enivrait un peu, tandis qu'il passait entre les haies couvertes de mûres et de prunelles dont il se régalait depuis plus d'un mois. Le vent avait débarrassé le ciel de ses nuages et les grands trembles de la rivière se balançaient avec de longs soupirs. A un moment, l'aide de Rose fut nécessaire pour sortir le charretou d'une ornière. Un peu plus loin, les vaches entrèrent dans le pré, sans Baptiste ni Daniel qui continuèrent leur chemin, entre les ronces et les fougères, jusqu'aux galets. Là, Baptiste déchargea le « banchou », cette planche inclinée derrière laquelle on s'agenouille pour frotter le linge ou l'essorer. Ensuite il repartit vers le pré où l'attendait Rose. Daniel demeura seul une minute ou deux dans l'odeur de frondaisons humides et de feuilles en putréfaction, face au vert sombre de l'eau dont le bouillonnement lui rappelait l'après-midi passé avec Alphonse.

— Tu rêvais ? lui demanda Rose en arrivant. Ah ! si je pouvais rêver, moi ! Mais, qu'est-ce que tu veux, j'ai jamais trouvé le temps !

Suivie par Lisa qui poussait des petits cris en montrant l'eau du doigt, elle portait un drap sur son épaule. Après s'être agenouillée sur le banchou dont l'extrémité inférieure était immergée, elle déplia le drap en disant :

— Tiens ! Aide-moi un peu.

Et comme il ne savait comment s'y prendre :

— Déchausse-toi et rentre dans l'eau ; n'aie pas peur, tu risques rien.

Il enleva ses galoches, entra dans l'eau glacée, glissa sur les galets moussus, se rattrapa de justesse. Rose lui tendit l'extrémité d'un drap et lui demanda de le tirer vers lui en remontant vers l'amont. Il eut très vite de l'eau jusqu'aux cuisses et s'arrêta, hésitant.

— Tu peux aller plus loin, dit Rose, mais surtout ne le lâche pas.

Le drap s'ouvrit au fil du courant tandis que Rose, penchée en avant, appuyait sur lui pour le faire pénétrer dans l'eau. Elle le battit plusieurs fois, le ramena vers elle lentement, puis, de toutes ses forces, elle le pressa sur le banchou. Daniel sortit de l'eau, s'assit sur les galets, frotta ses jambes en observant le léger nuage gris qui dérivait vers l'aval. Lisa s'approcha, caressa les jambes de Daniel en riant, puis elle voulut entrer dans l'eau. Rose l'en empêcha, mais dès l'instant où Daniel y entra de nouveau, la petite se précipita vers lui et, agrippée à sa chemise, elle ne cessa de pousser des cris de plaisir.

Après avoir répété l'opération à trois reprises, Rose changea de drap. A ce rythme-là, elle mit trois quarts d'heure pour rincer la moitié du chargement puis, satisfaite, elle se releva, s'étira.

— C'est l'heure, dit-elle, toute ragaillardie.

Suivie des deux enfants, son panier au bras, elle revint vers le pré où Baptiste surveillait les vaches d'un œil négligent. Ils s'assirent à l'ombre des peupliers, près d'une haie d'où s'envola un loriot jaune aux ailes noires. Baptiste coupa le pain avec son « Laguiole », distribua sa part à chacun, se servit ensuite, se mit à manger lentement, comme à son habitude, savourant chaque bouchée, le regard perdu dans la buée bleue de l'horizon, qui, là-bas, dansait au-dessus des bouleaux. Le temps s'arrêta. Tous mangeaient en silence, même Lisa redevenue sage et qui, après la confiture et le fromage, se barbouillait les lèvres avec les mûres ramassées par Baptiste.

— *Béou oun co* ! dit celui-ci en tendant une timbale à Lisa.

Le vin frais coupé d'eau coula avec un bruit de source. La petite but goulûment, s'étrangla. Baptiste lui tapa dans le dos, emplit de nouveau la timbale et la tendit à Daniel qui la vida avec la sensation de boire à même les lèvres de Lisa.

Ensuite ce fut le tour de Rose, puis de Baptiste.

— La *maïré* venait encore avec nous il n'y a pas si longtemps, murmura Rose après un soupir.

Baptiste parut revenir d'un autre monde. Il sourit, lui toucha la joue du bout des doigts.

— Allons, petite, dit-il, à quoi ça sert ?

Puis il repartit aussitôt dans ses rêves, un sourire figé sur ses lèvres mi-closes.

Du temps passa encore et personne ne se leva. Allongé dans l'herbe, Daniel suivait le vol des hirondelles, Rose rassemblait les reliefs du repas dans une serviette, Baptiste caressait les cheveux de Lisa. Il fallut envoyer le chien vers la Noire qui s'enfuyait en direction des maïs. Ce fut le signal : Rose et les deux enfants retournèrent à la rivière. Lisa, trop pressée de rejoindre Daniel, tomba dans l'eau. Il glissa lui aussi en essayant de la rattraper, et Rose accourut à leur secours.

Ils se séchèrent un long moment au soleil, assis sur les galets, tandis que Rose ne cessait de rire de leur mésaventure..

— Oo... Oo..., faisait Lisa en montrant son tablier qui fumait doucement.

— *Bétassoune,* lui dit Rose, tu nous fais perdre du temps.

Et elle se remit au travail...

A la fin, quand tous les draps furent rincés, Daniel s'en fut prévenir Baptiste. La nuit s'annonçait déjà dans les lointains où s'étiraient des écharpes mauves. Le vent charriait maintenant de puissants parfums d'herbe dont l'âcreté était oppressante. Baptiste saisit les bras du charretou avec un long soupir, et ils se mirent en route lentement dans le soir tombant. Daniel n'avait même plus la force de pousser. Perdu dans ses pensées, les jambes lourdes, une grande mollesse au fond de lui, il se demandait combien de jours mettrait l'eau qui avait caressé ses mollets pour rejoindre la mer où voguaient ceux qui lui manquaient tant.

Le matin où Rose les conduisit à l'école, Lisa et lui, il tombait une petite pluie tiède. Sur la charrette où Daniel tenait le grand parapluie de Baptiste, on entendait les prés et les champs frémir au contact de l'eau. Cela faisait comme un bruit de bouche, un murmure ininterrompu qu'accompagnait le clapotis des gouttes ruisselant des arbres. L'air sentait la fumée des maisons retenue par la brume et les nuages bas. Des coqs s'enrouaient au loin dans les fermes.

Daniel avait revêtu un tablier noir acheté par Rose au marché, Lisa un tablier à fleurs bleues, qu'elle ne cessait de montrer du doigt en faisant :

— Feu... feu...

Assis près de l'enfant sur la banquette, elle le tenait par l'extrémité de sa blouse, comme si elle redoutait une séparation. Elle ne se trompait pas ; il avait été convenu avec le maître d'école et sa femme, institutrice elle aussi, que les enfants iraient dans des classes différentes : Daniel avec les grands, Lisa avec les plus petits.

Il fallut agir par surprise, sans quoi Lisa n'eût jamais accepté de le quitter, fût-ce pour quelques minutes. Rose dut pénétrer dans la classe de la petite et s'asseoir un moment avec elle. Daniel, lui, se retrouva seul devant l'un des bâtiments couronné d'une sorte de fronton en briques rouges et d'un toit d'ardoises. Les cours communiquaient par un petit portail ouvert dans le mur de séparation. Ce portail était celui de la honte et du châtiment : par lui passaient les mauvais élèves envoyés chez le maître pour les punitions exemplaires. Là, devant les grands assemblés, lancée par un maître à la réputation redoutable, la foudre s'abattait avec fracas sur la tête des coupables. De taille moyenne, le front haut, légèrement frisé, le nez cassé, les yeux noirs et vifs, M. Farges régnait en effet sur son école comme sur le village, dont il occupait par ailleurs les fonctions de secrétaire de mairie. Sa femme, elle, qui était brune avec de grands yeux verts, semblait d'une extrême fragilité. Vêtue d'une blouse blanche, le visage anguleux, le regard fiévreux, elle enseignait les rudiments de la lecture et de l'écriture aux plus petits, mais aussi les principes de l'hygiène et les effets dévastateurs de l'alcool. C'était elle qui avait poussé son mari à accepter Lisa à l'école, sans toutefois méconnaître les difficultés de la tâche.

Daniel s'aventura dans la cour où les garçons jouaient au « chat coupé » et à « l'épervier ». Il constata avec plaisir que les jeux étaient semblables à ceux de Paris, mais il n'osa y prendre part et s'en fut sous le préau où il s'assit sur le tas de bûches destinées au poêle de la classe. Un grand garçon blond, aux yeux noisette, s'approcha, lui demanda qui il était.

— Je m'appelle Daniel Lachaume, répondit-il ; des Lachaume du Verdier.

— Je t'ai jamais vu.

— Je ne vais pas souvent au village, on a du travail.

— T'as pas un accent d'ici ; t'es un réfugié, quoi.

Daniel se sentit très mal. La peur, de nouveau, était en lui et lui nouait le ventre.

— Je suis un cousin des Lachaume ; un petit-fils de Louisou.

Pourquoi fallait-il, en disant cela, que les visages de son père et de sa mère surgissent brusquement devant lui ? Il eut honte, une nausée lui tordit l'estomac, il précisa :

— Mes parents sont à Paris.

Mais déjà le garçon s'éloignait, sans plus s'intéresser à lui.

Oppressé, il marcha vers la murette de séparation, chercha en vain Lisa du regard. Il retourna dans la cour, fut pris dans les « serres » de l'épervier, se débattit, s'en sortit avec difficulté et, bousculé par deux grands aux cheveux coupés ras, il s'échoua de nouveau sous le préau. La présence du maître sur les marches le rassura un peu. Il s'en rapprocha, se trouva devant lui au moment où il frappait dans ses mains pour l'entrée en classe. Aussitôt, les grands, qui connaissaient la coutume, vinrent se ranger sur deux colonnes, les moyens les imitèrent, puis les nouveaux, qui s'alignèrent après avoir reçu les instructions du maître. L'arrivée des filles les plus âgées surprit beaucoup Daniel, qui était habitué à Paris à une « ségrégation » autrement plus sévère. Il se demanda d'ailleurs pourquoi les classes étaient mixtes et non les cours de récréation, mais il n'eut pas le temps d'y réfléchir davantage.

— Allez ! dit le maître d'une voix grave et profonde.

Les nouveaux entrèrent les premiers et, précédés par M. Farges, allèrent s'installer dans la rangée opposée à la porte, sur des tables à deux places dont chacune était pourvue d'un encrier à encre violette. Daniel, qui se retrouva à côté du blond inquisiteur de la cour, examina le tableau noir, les cartes de géographie multicolores, les oignons de jacinthes en pots, respira avec plaisir l'odeur des bâtons de craie qui lui rappela sa classe parisienne. Se tournant légèrement vers la gauche, il aperçut, près du poêle, un petit meuble bibliothèque qui contenait des livres recouverts de papier bleu. Il se dit qu'il pourrait peut-être en emporter à la ferme et les lire la nuit comme il le faisait souvent, chez lui, en cachette de ses parents. Réjoui par cette perspective, il répondit fermement à l'appel de son nom, après avoir appris que son voisin s'appelait Alain Bonneval.

Bientôt, sur l'ordre du maître, un grand garçon très maigre, aux bras immenses, distribua des livres et des cahiers. C'était sans doute l'élève le plus âgé, car Daniel l'avait vu diriger les jeux dans la cour avec une autorité incontestée.

Le maître donna ensuite des instructions sur le règlement de l'école et sur la discipline, fit une petite leçon de morale où il glissa quelques considérations sur les méfaits du vin et du manque d'hygiène. Il prévint qu'il effectuerait tous les matins une inspection pour vérifier la propreté des mains et des oreilles, puis il donna à chaque classe un travail différent. Daniel dut copier sur son cahier une poésie de Victor Hugo qui commençait ainsi :

> *O souvenirs ! Printemps ! Aurore !*
> *Doux rayon triste et réchauffant !*
> *Lorsqu'elle était petite encore*
> *Que sa sœur était tout enfant.*

Il aima tout de suite ces premiers vers de sa nouvelle école, des vers que ce matin de rentrée rendait inoubliables. En se répétant les mots « souvenirs, printemps, aurore », il entendit la voix de sa mère, le matin, qui soufflait près de son oreille : « C'est l'heure, *Kindélé* » ; et il rejoignit son enfance parisienne, se laissa entraîner dans les songes où affluèrent des images dont il croyait avoir perdu le souvenir...

La voix du maître, moins complaisante, lui intima de lire les derniers vers du poème. Il en était bien incapable. Pris en faute, il se tourna vers son voisin qui, secourable, lui montra du doigt où on en était : « *Leur aïeul, qui lisait dans l'ombre...* » Il lut avec application, ce qui le sauva d'une probable punition. Mais déjà le maître, après avoir demandé à ceux de sa rangée d'apprendre la poésie, s'occupait des moyens en dictant un problème. Daniel put à loisir et en toute impunité rejoindre cette part de sa vie qui, décidément, s'imposait à toute autre pensée. C'est à peine s'il eut le temps d'étudier la première strophe en répétant mentalement les mots qui dansaient devant ses yeux : « *Connaissez-vous sur la colline qui joint Montlignon à Saint-Leu une terrasse qui s'incline entre un bois sombre et le ciel bleu* ». La récréation de dix heures le trouva sur d'autres collines, d'autres terrasses, celles qu'il escaladait avec son père et sa mère, le dimanche, il y avait mille ans. Pourquoi aujourd'hui revivait-il ces moments ? Parce que l'école lui restituait les odeurs et les émotions de sa vie à Paris ? Il s'interrogea un long moment dans la cour, assis sur son tas de bois, puis se lassa : trouver une explication ne lui servirait à rien et, après tout, ces sensations étaient plutôt agréables.

Chassant ces pensées, il se dirigea vers la murette pour essayer d'apercevoir Lisa. En vain. Il retourna dans la cour, en fit le tour, s'arrêta devant deux garçons qui jouaient aux billes, mais ils ne levèrent même pas la tête vers lui. Le grand Lacroix — celui qui avait distribué les cahiers et les livres — le bouscula en disant :

— Pousse-toi, morpion.

Et, comme Daniel résistait, il l'envoya à terre d'une poussée de la main. Daniel se releva, donna un coup de pied dans les tibias du grand. Aussitôt, tous les jeux cessèrent, chacun s'interrogeant sur les conséquences de ce geste sacrilège.

— De quoi ? De quoi ? fit le grand, et d'où tu es, toi, d'abord, pour vouloir faire la loi, ici ?

— Je suis du Verdier.

— Avec un accent pareil, ça m'étonnerait.

Puis, toisant l'enfant avec morgue :

— Tu serais pas plutôt parisien, des fois ?

Des ricanements succédèrent à cette question. Un grand froid coula sur les épaules de Daniel. Que répondre ? Il choisit l'ironie, et sans se découvrir :

— Et toi, tu serais pas un peu loufdingue ?

Les mêmes ricanements, à peine plus discrets, se firent entendre. Heureusement, la silhouette du maître apparut sur les marches et tout le monde se dispersa. Daniel, sentant qu'il avait marqué un point, s'éloigna à pas lents, d'une démarche un peu plus assurée. Il se dirigea tout naturellement vers la murette, aperçut enfin Lisa. Mais elle n'était pas seule : des filles l'avaient enfermée dans une ronde et dansaient autour d'elle en criant :

— La folle ! la folle ! la folle !

Il ouvrit le portail sans une hésitation, franchit le passage interdit et se précipita vers la petite qui, terrorisée, se protégeait avec ses coudes relevés à hauteur de son visage. La ronde des filles s'étant refermée sur lui, il ne parvint pas tout de suite à la dégager. Il reçut même des coups de pied, les rendit farouchement, tira Lisa par le bras, s'éloigna de quelques mètres, mais la meute des filles les poursuivit. Lisa se mit à hurler, et la stridence de son cri, montant plus haut que ceux des gamines, les dégrisa subitement. La maîtresse se précipita, fit évacuer le préau. Les filles s'écartèrent, rejoignirent l'attroupement qui s'était formé au milieu de la cour. Et cependant Lisa, hagarde, les yeux fous, criait toujours, comme si elle était maintenant prisonnière de sa propre frayeur.

— Arrête, Lisa, arrête, je suis là, regarde-moi, je suis là, dit Daniel.

La maîtresse essaya de lui prendre les mains, mais Lisa la mordit et recommença à crier. Elle rejoignit le maître qui arrivait, et tous deux demeurèrent à distance. Plusieurs minutes passèrent, tandis que Daniel, seul près d'elle, répétait :

— Je suis là, c'est fini, n'aie pas peur.

Elle se calma enfin, mais des sanglots nerveux continuèrent de l'agiter. Daniel put l'emmener dans la salle de classe, s'asseoir à côté d'elle, tout au fond. Le maître et la maîtresse entrèrent, hésitèrent à s'approcher.

— Il faudrait aller prévenir sa mère, dit Daniel.

Le maître hocha la tête, sortit sans bruit, puis bientôt sa femme, après qu'il lui eut fait signe de la cour. Comme la petite tremblait de tous ses membres, que Daniel avait peur qu'elle ne recommence à hurler, il se mit à lui parler en prononçant les premiers mots qui lui venaient à l'esprit :

— On t'emmènera dans la maison de Normandie ; tu sais, je te l'ai promis. Tu verras les oiseaux blancs, les bateaux de pêche, on mangera des coquillages et on se promènera sur la plage. N'aie pas peur, Lisa, on se quittera plus.

Il s'interrompit et elle se remit à sangloter. Alors il continua tout bas, penché sur elle :

— C'est un peu comme ici, la Normandie : tout est vert et il y a des vaches qui paissent l'herbe sous des pommiers. On mangera des pommes tant qu'on voudra. Tu sais, des pommes rouges, celles qui sont les plus sucrées, qui fondent dans la bouche, et on boira du cidre, on dormira dans le même lit, n'aie pas peur, n'aie pas peur...

Il parla pendant de longues minutes et Lisa, subjuguée, ne le quitta pas des yeux. A la fin, il ne savait plus quoi lui dire; il se demandait pourquoi Rose n'arrivait pas, murmurait :

— Baptiste te fera voir les étoiles : le Grand Chariot et Orion sur l'équateur céleste. Rose n'est pas loin, elle va nous ramener, on s'assoira près de la cheminée, mais si on a trop froid, on partira plus loin, toi et moi, là-haut, sur Sirius, Altaïr, Aldébaran, c'est Baptiste qui me les a montrées...

Enfin Rose apparut, prévenue par le grand Lacroix que le maître avait dépêché. Essoufflée, elle pénétra dans la classe avec la maîtresse, demanda d'une voix angoissée :

— Qu'est-ce qui est arrivé ? Qu'est-ce qu'on lui a fait ?

— Rien, rien, ce n'est rien, dit Daniel.

Mais Rose continuait de s'agiter, de poser des questions sans même laisser le temps d'y répondre. La maîtresse parvint cependant à donner des explications et dit, les larmes aux yeux :

— Peut-être vaudrait-il mieux la ramener chez vous.

Elle ajouta aussitôt, craignant que sa recommandation ne passe pour un renoncement :

— On essaiera de nouveau cet après-midi.

— Elle voudra plus revenir; je la connais bien, vous savez, dit Rose.

— Il faut quand même essayer.

Rose hésita, releva la tête, une lueur d'espoir dans le regard :

— Vous croyez?

— Mais bien sûr. Il le faut. On ne peut pas renoncer ainsi.

— Bon, dit Rose en soupirant, c'est entendu, je tâcherai de revenir à deux heures.

Elle partit, traînant sa fille par la main, l'air accablé, comme si elle portait le monde entier sur ses épaules. Daniel regagna sa classe où le maître avait déjà fait rentrer les enfants. Un long moment, malgré sa tête baissée, il sentit les regards de ses camarades posés sur lui et il ne put les affronter.

A midi, Rose et Julia cachèrent à Alphonse l'événement de la matinée. D'ailleurs il repartit très vite avec Baptiste dans les maïs, après avoir mangé sans un regard pour personne. Une fois seules, les deux femmes hésitèrent longtemps sur la conduite à tenir : fallait-il vraiment s'entêter? N'allait-on pas blesser la petite? Daniel, lui, était d'avis d'insister le temps qu'elle s'habitue. Ils repartirent donc, Lisa serrée entre Rose et lui, mais, au fur et à mesure qu'ils approchaient du village, elle se mit à regarder à droite et à gauche, puis à s'agiter en gémissant. Sur la place, elle pleurait déjà. Et quand Rose voulut l'entraîner vers l'école, elle se débattit et parvint à s'échapper vers l'église où Daniel la rattrapa. Il chercha à la ramener, lui parla un long moment, sans succès. Après être vainement intervenue, elle aussi, Rose se rendit à l'école pour prévenir la maîtresse. Celle-ci la raccompagna sur la place, s'approcha de Lisa qui se mit à hurler.

— C'est pas la peine, dit Rose, on n'y arrivera jamais ; merci pour ce que vous avez fait, madame, merci beaucoup.

— J'aurais tellement voulu m'occuper d'elle, soupira la maîtresse...

Prenant Daniel par la main, elle s'éloigna vers l'école. Alors seulement Rose put faire monter Lisa dans la charrette et repartir vers le Verdier sans même prendre le temps de saluer Adélaïde qui, de la forge, avait assisté à la scène.

Quand Daniel pénétra dans la cour, trois minutes plus tard, les garçons vinrent tourner autour de lui comme s'il était un animal curieux. Le maître, heureusement, les dispersa en donnant le signal d'entrée en classe, et Daniel put écouter paisiblement la leçon de géographie sur la Seine et ses affluents. De temps en temps, pourtant, il pensait à Rose et à Julia, à leur déception qui devait être à la mesure de leur affection pour Lisa. Il s'en voulut de n'avoir pas su la protéger, de n'avoir pu la convaincre de revenir à l'école où la maîtresse, il en était persuadé, aurait été capable de la comprendre et de l'aider. Il dessina distraitement la Seine, la Marne, l'Oise, l'Eure, et se demanda comment s'appelait cette rivière qui, dans sa lointaine enfance, coulait sous le pont d'où il apercevait un campanile et des lettres immenses en fer-blanc dont il avait oublié la signification. Pourquoi ses parents évitaient-ils toute conversation sur cette période de leur vie ? Parce qu'ils avaient trop souffert ? Parce qu'il eût été trop dangereux d'en parler ? Il s'interrogeait toujours à trois heures et demie, quand le maître donna le signal de la récréation.

Pas fâché d'échapper à cette enfance au souvenir toujours douloureux, il retrouva la cour ensoleillée, alla s'asseoir sur la murette chaude où, fermant les yeux un moment, il songea seulement à la chaleur sur sa peau, aux couleurs violentes que le soleil, à travers ses paupières closes, faisait surgir, par intermittence, d'un noir profond.

— C'est ta sœur qui est folle ?

Le grand Lacroix, accompagné de ses « soldats », souriait, provocant.

— C'est pas ma sœur et elle est pas folle.

— Alors, tu es pas d'ici. Moi, je crois que tu es un youpin qui se cache. Et vous les gars ?

Il y eut des ricanements, des réflexions peu amènes, mais Daniel comprit que tous ne savaient pas ce que signifiait le mot « youpin » car ils se dandinaient, gênés, en roulant des épaules.

142

— Je m'appelle Lachaume et je suis du Verdier.

Le grand Lacroix réfléchit un instant, décréta :

— Alors, si tu es pas youpin, tu es fou, comme ta cousine.

— Ouais ! approuva un autre grand garçon qui s'appelait Couderc, y a toujours eu des fous chez les Lachaume ; tout le monde le sait.

Et aussitôt, sans s'être concertés, les garnements se mirent à tourner autour de lui, à crier en lui donnant des coups de poings : « Au fou ! au fou ! au fou ! » Un attroupement se forma rapidement, dont Daniel était le centre. Il pensa à Baptiste, à Rose, à Julia et à Lisa, se rua la tête la première, cogna sur tout ce qui se trouvait à sa portée, roula très vite par terre où des coups l'atteignirent au ventre et au visage. Il se débattit, se releva, cogna encore, les dents serrées, puis tomba de nouveau. Les coups et les cris cessèrent brusquement : alerté par l'écho de la bataille, le maître avait enfin fait irruption dans la cour. Il sépara les combattants, distribua des punitions aux plus grands qui s'éloignèrent, hostiles. Il aida Daniel à se relever, l'entraîna vers la salle de classe où il le fit asseoir près de lui.

— Tu n'as pas de mouchoir ? demanda-t-il.

— Si, dit l'enfant, évitant son regard.

Il sortit de sa poche un mouchoir à carreaux,

s'essuya le nez qui saignait un peu et, plus bas, le menton tuméfié.

— Ce ne sera rien, dit le maître.

Puis avec une douceur inhabituelle dans la voix :

— Qu'est-ce qui s'est passé ?

— Rien, monsieur.

— C'est le grand Lacroix, n'est-ce pas ?

Daniel ne répondit pas.

Le maître réfléchit quelques secondes, demanda encore :

— Tu ne veux pas me répondre ?

Et, comme l'enfant demeurait muet :

— Dis-moi au moins ce qu'ils te voulaient.

Daniel releva la tête, rencontra des yeux et un visage qui lui parurent dignes de confiance.

— Ils disaient que j'étais fou et ma cousine aussi.

— C'est tout ? demanda le maître.

Daniel soutint le regard, hésita un instant. Il lança, un peu comme un défi :

— Ils disaient aussi que j'étais juif.

Le maître ne réagit pas tout de suite, hocha la tête, dévisagea Daniel avec gravité.

— Et ce n'est pas vrai, n'est-ce pas ? fit-il enfin à mi-voix.

Daniel baissa les yeux, hésita encore entre l'envie de se confier et la peur d'être trahi.

— Si c'était vrai, dit le maître en volant à son

secours, tu ne le dirais à personne et tu aurais raison.

L'enfant se sentit mieux. Il croisa de nouveau le regard du maître où il lut une lueur complice. Celui-ci, se redressant un peu, demanda avec une pointe d'amusement dans la voix :

— Alors comme ça, tu défendais les Lachaume ?

Daniel hocha la tête, son visage s'éclaira. Il lui sembla que là-bas, près de sa cheminée, Julia était contente.

— Tu as bien raison, dit le maître, parce que tu sais, Julia, c'est une femme extraordinaire.

Il ajouta, comme l'enfant s'étonnait qu'il la connût :

— Et Baptiste, cet homme qui vit avec ses abeilles ou dans les étoiles, je le voyais souvent, avant, il m'avait même emprunté un livre d'astronomie.

Le silence tomba. Quelques secondes passèrent, durant lesquelles ils se sourirent.

— Bon, dit le maître, reprenant tout à coup sa distance coutumière, j'espère que tu ne vas pas te battre à toutes les récréations ou alors tu auras affaire à moi !

Et, plus bas, en lui posant la main sur l'épaule :

— Allez, va jouer, mon petit.

Réconforté, Daniel sortit et, fort de l'alliance tacitement scellée avec le maître, défia les grands du regard. Intrigués, ceux-ci hésitèrent à reprendre le cours de leurs jeux interrompus, puis ils l'ignorèrent.

A cinq heures, il rentra seul, sans se presser, entre les haies sur lesquelles il fit provision de mûres et de prunelles. Il suivit même une poule faisane qui l'emmena tout droit sur sa nichée dont il admira, caché derrière des pieds de maïs, les plumes chatoyantes. Une fois au Verdier, il ne raconta rien des incidents à Julia et à Baptiste : ils en auraient été trop malheureux. En revanche, il leur rapporta la partie de la conversation avec le maître qui les concernait, et ils en furent flattés.

Les jours suivants, il dut faire face à des attaques sournoises sur le chemin du retour. Le grand Lacroix l'y attendait régulièrement en compagnie d'un ou deux de ses sbires pour lui faire payer les punitions reçues par sa faute. Les poches bourrées de cailloux, un bâton noueux à la main, Daniel se défendit sans jamais se plaindre, ni au Verdier ni à l'école. Toutefois ces embuscades répétées attirèrent l'attention d'un paysan voisin qui finit par alerter le maître. Elles cessèrent un soir, Lacroix et ses camarades ayant été retenus à l'étude pour réviser des leçons mal apprises. Dès lors, chaque matin, un hasard maléfique les désigna à l'attention du maître, et, chaque soir, ils durent méditer sur l'injustice du sort. Daniel put enfin rentrer tran-

146

quille au Verdier, flâner sur le chemin, parler aux gens de rencontre, observer les oiseaux, les animaux, sans que le moindre nuage ternît le ciel bleu de l'automne.

Après les écueils de l'école, il fallut affronter ceux du catéchisme. Daniel ne se rendit pas de gaieté de cœur aux raisons invoquées par Julia et Baptiste, mais il finit par admettre que sa sécurité en serait confortée. Il s'en fut donc au village, un jeudi vers une heure et demie, pour faire la connaissance du curé prévenu par Rose le dimanche précédent. Ce prêtre vêtu de noir l'impressionna beaucoup, mais ne lui posa aucune des questions qu'il redoutait. Rose avait expliqué que l'enfant, à Paris, n'allait pas au catéchisme car ses parents n'étaient pas pratiquants : il faudrait donc se montrer indulgent avec lui. Le curé l'avait fort bien admis. C'était un homme d'une cinquantaine d'années, aux yeux noirs, à la voix calme et aux gestes lents, qui passait pour le prêtre le plus tolérant des communes alentour. Où les autres régnaient par la terreur morale, lui préférait la persuasion par la douceur. Il y était habile. Même s'il n'élevait jamais la voix, les garnements du catéchisme le respectaient. Il possédait en effet le seul ballon de cuir de tout le village, un véritable ballon de compétition dont il privait les enfants qui chahutaient pendant le catéchisme qu'il enseignait dans une petite bâtisse située entre l'église et le presbytère. A la sortie, il arbitrait lui-même les matches dans un petit pré qui appartenait aussi à la cure. Daniel n'y participait pas, le travail l'attendait au Verdier. Comme personne ne l'importunait sur le chemin du retour, il flânait un peu tout en s'efforçant d'oublier ce qu'il avait entendu pendant l'heure précédente. Il se sentait en effet doublement coupable : d'abord d'avoir oublié le jour du Yom Kippour, mais aussi de laisser filer entre ses doigts les quelques liens qui le rattachaient encore aux siens. Bien qu'il s'évertuât à ne rien laisser perdre de ses souvenirs, il savait que de concession en concession il devenait un autre, et il en souffrait.

Il vivait donc des journées d'autant plus moroses que les lettres espérées n'arrivaient toujours pas. Les paroles de Julia et de Baptiste ne suffisaient même plus à le rassurer. En outre, le temps changeait : le vent apportait de gros nuages noirs qui crevaient sur la vallée en retardant les labours, ce qui provoquait les colères d'Alphonse. Il y eut pourtant une accalmie dans la première semaine de novembre, avec un bref retour de la chaleur qui permit aux enfants, le dimanche, de sortir les bêtes pour la dernière fois de l'année. Il faisait si bon, ce jour-là, qu'ils s'allongèrent à l'ombre, côte à côte, près du chien. Daniel parla un long moment de Paris à la petite, lui décrivit sa maison, son école, lui expliqua ses jeux, lui raconta comment se passaient ses journées. Il lui sembla alors que Lisa était plus proche de lui, plus réceptive, et il en conçut une idée : saisissant une brindille entre ses doigts, il la lui montra et dit :

— Bois... bois...

La petite le regarda, étonnée. Son regard courut de la brindille à la bouche de Daniel, plusieurs fois. Il répéta le mot patiemment, agitant la branche menue sous les yeux de Lisa, mais en vain. Un instant découragé, il réfléchit en silence puis il posa son doigt sur la bouche de Lisa.

— Bou-che, dit-il en s'efforçant de bien articuler.

Il répéta le mot à plusieurs reprises, en appuyant chaque fois sur sa bouche ou sur celle de Lisa. A la fin, les lèvres de la petite s'arrondirent, elle parut comprendre ce qu'il lui demandait, mais elle ne put émettre le moindre son. Il insista, recommença, il lui sembla même que le succès était proche, mais l'attention de Lisa s'égara et le mince fil qui les avait un moment réunis se rompit.

Bientôt, Lisa posa sa tête sur son épaule et s'endormit. Il n'y avait dans l'air aucun bruit sinon, de temps en temps, le frémissement des trembles frôlés par un souffle de brise. Les vaches paissaient paisiblement en bordure des

haies ; après la pluie des derniers jours, la terre
et les plantes en fanaison se gorgeaient des dernières chaleurs de l'automne. Comme il ne pouvait pas bouger sans réveiller Lisa, il finit par
sombrer lui aussi dans le sommeil, laissant les
vaches à leurs caprices.

Quand il s'éveilla, trois quarts d'heure plus
tard, Alphonse, debout devant lui, gesticulait
avec une lueur mauvaise dans le regard.
D'abord l'enfant ne comprit pas ce qu'il disait.
Il devina seulement qu'il avait bu, puis, au mot
« vaches », retrouvant subitement la mémoire, il
se dit qu'elles avaient dû partir vers la rivière
aux eaux gonflées par la crue et se noyer. A
peine se fut-il relevé qu'Alphonse s'en prit à
Lisa en criant :

— Et toi, couchée sur lui comme une fille de
ferme, t'as pas honte ?

Il la saisit par un poignet, la mit sur pieds en
lui arrachant un gémissement, la poussa violemment.

— Rentre à la maison et dépêche-toi !

Daniel fit un pas, aperçut le bâton brandi par
Alphonse.

— Avance, toi, si tu en veux !

L'enfant s'arrêta, supplia :

— Laisse-la, Alphonse, c'est de ma faute.

— T'occupe pas de ma fille, mais des
vaches ! Si elles se noient, ça aussi ce sera de ta

faute, et tu peux être sûr que ça coûtera cher à ta mère !

Daniel, affolé, regarda Lisa, puis la rivière, essaya de donner des ordres au chien, mais sa voix s'étrangla. Il dut s'y reprendre à plusieurs reprises avant de réussir à se faire obéir. Enfin le chien s'élança, tandis qu'Alphonse criait à Lisa qui, épouvantée, ne bougeait pas :

— Je t'ai dit de rentrer, toi, on s'expliquera à la maison !

Le chien eut tôt fait de ramener les vaches dans le pré : elles ne s'étaient pas approchées de la rivière, mais elles étaient simplement passées derrière les arbres pour boire dans les fossés. Comme s'il était brusquement frappé de folie, Alphonse se précipita et se mit à courir autour d'elles en les frappant du bâton. Poursuivies par le chien excité par les cris, elles s'éloignèrent vers la lisière opposée de la pâture. Alphonse, à bout de souffle, revint alors près des enfants. Toujours menaçant, il demanda, s'adressant à sa fille :

— Tu comprends pas ce que je te dis ? Fous le camp à la maison !

Daniel s'approcha de Lisa qui sanglotait, mais Alphonse le repoussa du bras en disant :

— Surtout, petit, reste où tu es et écoute-moi bien : si je te retrouve un jour couché avec ma fille, j'irai porter plainte et tu finiras en prison, là où d'ailleurs tu devrais croupir si on avait pas été assez bons pour te recueillir. Et, à partir d'aujourd'hui, je t'interdis de t'approcher de Lisa, parce que je vous connais, moi, les juifs, si on vous tend la main, le bras y passe aussi.

Surpris par l'expression de tant de haine, Daniel chancela et retint ses larmes à grand-peine. Lisa, terrifiée, s'était éloignée de quelques pas. Alphonse, se retournant brusquement, s'aperçut alors de la présence de Baptiste qui avait passé un bras autour des épaules de la fillette. Furieux de ne pas l'avoir entendu arriver, Alphonse s'avança vers lui en brandissant son bâton :

— Vous, le vieux, fit-il, mêlez-vous de ce qui vous regarde !

— Laisse-la ! dit Baptiste d'une voix blanche, tu sais bien que ce sont des enfants.

— Tirez-vous de là ou il va vous arriver malheur.

Baptiste fit un pas entre Lisa et Alphonse. Celui-ci voulut l'écarter du bras, mais le grand-père s'y agrippa, ce qui les déséquilibra et les fit tomber. La chute décuplant sa fureur, Alphonse saisit Baptiste par les pans de sa chemise et se mit à le secouer. D'abord pétrifié, Daniel se précipita, se jeta sur Alphonse et parvint à le faire rouler sur le côté. Celui-ci, hagard, se dégagea d'un geste violent du bras et se releva. Puis, sans un mot pour le grand-père et l'enfant, il entraîna Lisa sur le chemin en lançant des menaces. Daniel la vit se retourner plusieurs fois, les yeux pleins de terreur, la bouche ouverte sur un cri muet. C'est seulement quand ils eurent disparu derrière la haie que Daniel s'aperçut combien Baptiste, très pâle, les yeux mi-clos, respirait avec difficulté.

— Baptiste, Baptiste, fit-il en lui soulevant légèrement la tête.

Le grand-père essaya de parler, mais il n'y parvint pas, au contraire : ses yeux se fermèrent tout à fait, et Daniel crut qu'il était mort. Il eut très peur, se pencha sur lui en disant :

— Baptiste, réponds-moi !

Un mince filet de voix passa alors entre les lèvres du grand-père :

— La Rose, va chercher la Rose, vite.

— Non, fit Daniel, je veux pas te laisser.

Deux ou trois minutes, passèrent durant les-quelles il hésita sur la conduite à tenir, tout en serrant Baptiste contre lui. Quand il se rendit compte que celui-ci n'allait pas mieux, il s'y décida enfin et partit en courant. Il ne tarda pas à rencontrer Rose qui avait entendu des cris depuis un pré voisin où elle ramassait de l'herbe pour les lapins. Essoufflée, une main crispée sur son côté droit, elle demanda :

— Qu'est-ce qu'il y a ?

— C'est Alphonse ; il s'est battu avec Bap-tiste.

— *Oh la yéou !* ils se sont fait du mal ?

— Non, fit Daniel, non, non...

Mais il en était si peu sûr qu'il la laissa passer devant, bien qu'elle ne pût courir. De temps en temps, elle s'arrêtait pour boire de grandes goulées d'air comme si elle étouffait, puis elle repartait sans un regard pour l'enfant qui se demandait si elle n'allait pas tomber. Ils arrivèrent enfin dans le pré où, tout de suite, Daniel se sentit un peu rassuré : Baptiste, très pâle encore, avait réussi à s'asseoir, Daniel ramassa le chapeau et le remit sur la tête du grand-père, ce qui lui rendit une apparence plus familière. Dès lors, il lui sembla que le danger était écarté, d'autant que Baptiste murmurait :

— Ça va mieux... C'est passé...

— Quel malheur ! un homme pareil ! se lamenta Rose, près de défaillir.

— C'est bien sûr, ça va ? demanda Daniel.

Baptiste hocha la tête, mais ne parvint pas à se relever. Il fallut que Rose et l'enfant l'y aident en le prenant par les bras. Quand ce fut fait, Daniel envoya le chien chercher les vaches, mais l'heure étant inhabituelle, elles refusèrent d'obéir et il dut intervenir lui-même. Ils se mirent en route lentement, Baptiste appuyé sur Rose, Daniel occupé à surveiller les bêtes qui guettaient la moindre occasion pour s'échapper.

Il leur fallut plus de vingt minutes pour arriver à la ferme où des cris leur apprirent que Julia vociférait contre Alphonse qui avait enfermé Lisa dans sa chambre. La grand-mère avait deviné ce qui s'était passé, mais la vue de Baptiste au visage défait et à bout de forces décupla sa colère.

— Si jamais il vous vient à l'idée de recommencer, tant que je serai vivante vous ne mettrez plus les pieds dans cette maison !

— C'est ma fille, répliqua Alphonse, et c'est à moi qu'elle doit obéir !

— Vous savez très bien que ce n'est pas de ça qu'il s'agit ; personne dans cette maison n'avait jusqu'à ce jour levé la main sur nous. Si j'étais pas clouée sur cette chaise, j'aurais déjà décroché un fusil ; mais soyez tranquille, vous ne perdez rien pour attendre, un jour vous me paierez tout ça !

Livide, Alphonse ricana, la défia du regard, mais ne répondit pas. Il haussa les épaules, grommela des insultes, et sortit en claquant la porte.

Rose versa à Baptiste un peu d'eau-de-vie, ce qui sembla le revigorer. Daniel, lui, s'approcha de la chambre de Lisa, lui parla un moment par le trou de la serrure et elle s'apaisa très vite. Cependant, dès que ses pleurs cessèrent, Baptiste, qui paraissait aller mieux, s'affaissa subitement et glissa jusqu'à terre.

— Vite ! s'exclama Julia, portez-le dans la chambre.

— Pauvre de nous ! gémit Rose, il est mort.

— Aide-la, mon petit, dit Julia à Daniel incapable de bouger.

Il fallut que Rose le prenne par le bras pour qu'il retrouve ses esprits. Elle d'un côté et lui de l'autre, ils réussirent à transporter le grand-père dans sa chambre et à le hisser sur le lit.

— Va chercher le docteur, fit Julia ; dépêche-toi, ma fille !

Affolée, Rose tournait autour de la table, ne savait si elle devait enlever son tablier ou pas, revenait vers la chambre, repartait en murmurant des mots inintelligibles. Enfin elle se décida à sortir, après avoir pris sa pèlerine. Ils l'écoutèrent atteler le cheval pendant quatre ou cinq minutes qui leur parurent durer des heures. A l'instant même où Julia demandait à Daniel d'aller aider Rose, le cheval se mit en route. Alors elle lui dit :

— Va près de lui, mon petit, je te dirai ce qu'il faut faire.

Il demeura rivé à son banc, se refusant à l'idée de voir mourir Baptiste. Elle dut insister, le rassurer, et il finit par lui obéir.

— Comment est-il ? demanda-t-elle alors, inquiète de ne rien entendre.

Et, comme Daniel ne répondait pas :

— Est-ce qu'il respire ?

L'enfant, resté près de la porte, fit un effort pour s'approcher du lit et se pencher sur Baptiste. Il entendit un léger souffle passer entre les lèvres et il lui sembla voir battre les cils. Il recula vivement de deux pas, ne bougea plus. Julia répéta sa question avec des tremblements dans la voix.

— Je crois, dit Daniel faiblement.

— Dégrafe-lui sa chemise et soulève-le un peu.

Daniel hésita à poser ses mains sur la peau distendue du cou où saillaient deux grosses veines bleues. Il détacha les boutons avec une sorte de répulsion, eut plus de facilité à glisser son bras sous les épaules et à soulever Baptiste. Le contact des cheveux blancs sur sa main le fit tressaillir. Le grand-père ouvrit les yeux, un sourire éclaira un instant son visage. Il essaya de parler mais n'y parvint pas.

— Que se passe-t-il? demanda Julia.

— Il veut dire quelque chose, fit Daniel.

Un mince filet de voix filtra entre les lèvres :

— Reste là, mon petit.

— Qu'est-ce qu'il a dit? demanda Julia.

— Il a dit : « Mon petit, reste là. »

— A la bonne heure, fit Julia, demande-lui donc ce qu'il veut.

L'enfant se pencha jusqu'à effleurer l'oreille droite de Baptiste, souffla :

— Qu'est-ce que tu veux?

Nulle réponse. Il répéta sa question en s'efforçant de détacher les mots.

— Qu'est-ce qu'il dit? demanda Julia.

— Il ne dit rien, fit Daniel, il a refermé les yeux.

— Oh! Mon Dieu! Parle-lui; il faut qu'il t'entende sinon il va mourir; parle-lui vite et surtout ne t'arrête pas.

— Mais je sais pas quoi lui dire.

— N'importe quoi, ce qui te passe par la tête, mais parle, je t'en supplie.

L'enfant avala sa salive, se pencha de nouveau sur Baptiste, chercha les mots.

— Dis, Baptiste, fit-il enfin, il y a la Noire qui boite, je crois qu'elle a posé le pied sur du barbelé.

La respiration du grand-père devint sifflante. Affolé, Daniel se redressa en détournant les yeux.

— Continue, fit Julia, et parle plus fort pour qu'il t'entende bien.

— Je ne sais plus, je ne peux plus.

— Mais si, continue comme tu as commencé.

Daniel prit une profonde inspiration, murmura:

— Tu verras, Baptiste, un jour, Lisa elle parlera; j'ai commencé à lui apprendre et elle était près de réussir quand Alphonse est arrivé; elle est pas bête, Lisa, tu sais je la connais, elle a besoin de nous.

À l'idée que Baptiste pût disparaître, comme cela, aujourd'hui, et les laisser seuls, il eut comme un sanglot, s'arrêta.

— Qu'est-ce qui se passe ? demanda Julia.

Et, aussitôt, presque dans un cri :

— Il est pas mort ?

— Non... je ne crois pas, fit Daniel d'une voix presque inaudible.

— Alors, ne t'arrête pas, mon petit.

— Je ne peux plus Julia, je t'assure !

Il saisit la main de Baptiste à l'instant où un râle montait de sa poitrine. Julia, qui avait entendu, prit le relais en disant :

— C'est rien, mon homme, ça va passer !

Et elle continua en patois avec des mots dont Daniel devinait le sens sans les comprendre tous, bouleversé par cette voix venue de l'ombre. Il était question de leur jeunesse, de travaux dans les champs, de mariages, de fêtes qui duraient toute la nuit, de naissances, d'hivers de neige, d'étés sans eau, de toutes sortes d'événements qui, ajoutés les uns aux autres, constituaient toute une vie...

Julia parlait, parlait, et Daniel serrait très fort la main du grand-père qui, de temps en temps, répondait en remuant ses doigts. De longues minutes passèrent ainsi. Daniel savait déjà qu'il ne pourrait jamais les oublier. En écoutant Julia, il comprenait que revivre leur passé en paroles était pour elle un moyen de le retenir, de lui rappeler ce qui les attachait l'un à l'autre, de s'opposer ainsi à toute rupture. Cette naïveté l'émut. Elle était même si dérisoire qu'il en conçut de la pitié pour Julia et qu'il eut envie de la consoler. Il lui sembla alors que Baptiste désirait lui parler. Il se pencha pour écouter :

— Li-sa... Li-sa...

— Il demande Lisa, dit-il en interrompant Julia.

— Alphonse a emporté la clé... Dis-lui qu'on va la chercher, que la petite viendra bientôt.

— Elle va arriver, fit-il en se penchant de nouveau.

Julia reprit son monologue qui dura encore de longues minutes ; comme elle parlait d'un monsieur Andrieu avec une sorte de vénération dans la voix, l'enfant comprit qu'il s'agissait du médecin...

Celui-ci arriva enfin au bout d'un quart d'heure, précédant Rose qui avait du mal à le suivre. C'était un gros homme barbu, aux yeux d'un noir profond, à la bouche large et charnue, coiffé d'un chapeau de feutre et vêtu d'un costume de velours. Il salua Julia d'une voix bourrue, entra dans la chambre, caressa de la main la joue de l'enfant sans s'étonner de sa présence. Au reste, rien ne semblait pouvoir étonner cet homme qui paraissait régner sur les gens et les choses. Daniel rejoignit Julia pendant que le

160

médecin auscultait Baptiste. Un long silence s'installa. L'enfant n'osait lever les yeux vers Julia qui, lui semblait-il, priait. Enfin, on entendit un long soupir et le médecin reparut. Il s'installa à table, sortit un porte-plume et une feuille de papier de sa sacoche de cuir.

— Alors ? dit Julia.

Le médecin fit la moue, répondit sans lever la tête :

— Le cœur, pardi ! Je lui ai fait une piqûre, ça va le soulager.

Il ajouta, se redressant brusquement :

— Tu sais, c'est la deuxième fois.

Le tutoiement surprit l'enfant qui ressentit, malgré la carapace glacée du personnage, toute l'affection que le médecin portait à Julia.

Celle-ci hocha la tête pensivement. Rose, debout près de la table, triturait son mouchoir en pleurant.

— Il va se remettre ? demanda-t-elle.

— Cette fois-ci peut-être, mais une nouvelle secousse sera fatale à coup sûr.

— Pauvre de nous ! gémit Rose.

Le médecin parla encore un peu avec Julia tout en écrivant sur sa feuille, et Rose lui versa un fond de verre d'eau-de-vie. Il le but d'un coup, la tête renversée en arrière, fit claquer sa langue de contentement et se leva avec une vivacité étonnante chez un homme aussi corpulent.

— Te fais pas trop de mauvais sang, dit-il à Julia en s'en allant; de toute façon, j'ai fait tout ce que je pouvais.

A peine était-il parti depuis trois minutes qu'Alphonse entra, le visage ravagé, manifestement saoul, l'air plus pitoyable qu'agressif.

— Qu'est-ce que vous voulez encore? fit Julia d'une voix qui ne tremblait pas. Vous croyez qu'on vous a pas assez entendu pour aujourd'hui?

Alphonse s'approcha d'elle et, comme s'il n'avait pas entendu, murmura :

— Il n'est pas mort, dites?

— Ça vaut guère mieux.

Comme frappé de plein fouet, Alphonse recula, s'assit sur le banc, très pâle, un rictus aux lèvres. Un instant passa durant lequel Daniel, effrayé, s'attendit au pire. Mais Alphonse ne cria pas : il se leva lentement, vint près de Julia, souffla, avec une expression égarée dans le regard :

— Je voulais pas ça... Je vous jure sur la tête de la petite que je voulais pas ça.

— Eh bien! Allez donc lui ouvrir à cette petite, parce que ça fait presque une heure qu'on ne l'entend plus.

Alphonse demeura un moment immobile, puis, fouillant dans ses poches, il se dirigea vers la chambre de Lisa, non sans jeter au passage un coup d'œil vers Baptiste par la porte entrebâillée. Il ouvrit, laissa entrer Rose qui ressortit aussitôt avec Lisa et revint s'asseoir sur le banc où elle la prit sur ses genoux. La petite semblait frappée de terreur, complètement abattue, vidée de toutes ses forces.

— J'espère qu'au moins ça vous servira de leçon, lança Julia à Alphonse. A-t-on idée de se mettre dans des états pareils pour deux enfants qui s'entendent bien et ne font rien de mal !

A cet instant, le regard de Daniel croisa celui d'Alphonse, et ce fut l'adulte qui baissa les yeux le premier.

— Va donc voir dans la chambre, dit Julia à Rose, il faut pas le laisser seul.

Alphonse voulut s'asseoir près de Lisa une fois que Rose se fut levée, mais la petite se mit à hurler. Alors il la poussa violemment vers Julia et sortit comme un fou, faisant claquer la porte derrière lui. Les minutes s'égrenèrent, silencieuses, jusqu'à l'heure du repas où l'on mangea simplement un peu de soupe, Rose n'ayant pas eu le temps de cuisiner. Alphonse, revenu entre-temps, ne leva pas la tête de son assiette mais but beaucoup de vin. Il se servait encore un verre à l'instant où le médecin, qui avait promis de repasser avant d'aller se coucher, frappa à la porte. Rose le fit entrer, l'accompagna dans la chambre. Il reparut cinq minutes plus tard, ne se montra pas optimiste :

— Si j'étais sûr qu'il supporte le voyage, dit-il, je l'enverrais bien à l'hôpital.

Et il ajouta, avant de s'en aller, s'adressant à Julia :

— Je lui ai fait une autre piqûre. N'hésite pas à m'appeler s'il va plus mal.

Un silence accablé tomba sur la maisonnée dès qu'il eut disparu. Alphonse, qui sentait tous les regards posés sur lui, partit sans un mot. Daniel passa un moment dans la chambre avant d'aller se coucher. Il lui sembla que les traits de Baptiste s'étaient détendus et qu'il respirait mieux. Il lui prit la main, la garda jusqu'à l'arrivée de Rose qui vint le relayer après avoir couché Lisa. En lui souhaitant la bonne nuit, Julia l'embrassa sur le front et lui dit :

— Va dormir, moi je veillerai.

Il sortit, sa lampe à la main, retrouva avec un frisson délicieux l'atmosphère chaude et odorante de l'étable, s'allongea dans son nid après avoir caressé chacune des vaches sur le front, ainsi qu'il en avait pris l'habitude. Malgré l'obscurité, comme le visage défait de Baptiste ne s'effaçait pas, il mit longtemps à s'endormir. Son sommeil fut agité jusqu'au moment où, alerté vers une heure par un bruit insolite, il s'éveilla en sursaut. Il se leva à tâtons, passa dans l'étable, aperçut la lueur vacillante d'une bougie, puis il distingua une silhouette sur le tabouret qui servait à traire. Il s'arrêta, stupéfait : à cinq mètres de lui, Alphonse, penché en avant, le visage entre ses mains, pleurait comme un enfant.

4

Baptiste se remit mais demeura affaibli. Heureusement, on allait vers l'hiver et les travaux devenaient moins pressants. Les labours achevés, le maïs et le tabac rentrés, on se contentait de couper du bois, de s'occuper des oies et des canards, de relever les clôtures en mauvais état. Même si Alphonse avait repris son visage des mauvais jours, depuis la nuit où il l'avait surpris dans la grange, Daniel ne le voyait plus sous le même aspect. Il savait désormais que sous une apparente insensibilité se cachait un homme qui pouvait souffrir. D'ailleurs Alphonse semblait avoir changé : il feignait de ne pas prêter attention aux enfants s'il les trouvait ensemble, le soir, assis côte à côte sur le banc de la cuisine, à l'heure où Daniel étudiait ses leçons. Et cela prenait du temps, car l'enfant tenait à être irréprochable, à ne pas se faire remarquer. Malgré tous ses efforts, en effet, il demeurait différent des autres, s'en inquiétait, y réfléchissait des

heures entières : cela ne tenait pas à ses vêtements ni à quelque particularité physique. Alors
pourquoi fallait-il qu'il restât en marge, même
au catéchisme où le curé l'oubliait souvent dans
son coin ? Il ne se rendait pas compte qu'il gardait dans son langage un accent parisien dont la
singularité le désignait à l'attention des autres.

Même Alain, son voisin de table, s'il le soute-
nait dans ses combats contre les grands, n'était
pas un véritable ami, du moins tel que Daniel en
eût souhaité un. Il n'en était pas vraiment malheureux, mais cela l'agaçait. Ce qui le pré-
occupait beaucoup plus, en revanche, c'était de
ne pas recevoir de lettre de ses parents. A force
d'attendre, à force d'espérer, à force de les
appeler de ses vœux pendant la nuit, il avait dû,
au bout du désespoir, reléguer cette obsession
dans un coin de sa tête et la fuir de son mieux.
Julia l'y avait aidé en lui donnant une raison
plausible :

— Les lettres ne peuvent pas circuler de la
zone nord à la zone sud, c'est interdit.

Il avait feint d'y croire jusqu'au jour où la
T. S. F. avait annoncé l'invasion de la zone sud
par les Allemands. Il avait alors évité de reparler
des lettres avec Julia, s'était forgé lui-même une
explication à laquelle, sans trop y croire, il se
tenait : les combats de la guerre détruisaient les
bateaux ou les avions-courriers, rien n'arrivait
donc de l'étranger.

Lisa, elle, paraissait avoir oublié la dernière colère d'Alphonse et se rapprochait souvent de Daniel.

— Fais attention, lui disait-il, ton père pourrait nous voir.

Et il la repoussait doucement. Pour la consoler, il lui parlait de la mer, des bateaux, de la plage où ils se rendraient une fois ses parents revenus, il inventait des mots qu'elle semblait comprendre, qui allumaient dans ses yeux des lueurs où, semblait-il, l'intelligence allait éclore. Elle ne le quittait jamais, vivait comme lui, s'attachait à son regard, à ses gestes, à sa voix, avec une attention admirative.

Ce jeudi de décembre, ils se trouvaient tous les deux assis face à Rose qui barattait la crème. C'était là une opération qu'ils ne manquaient pour rien au monde, car ils attendaient le moment où, son travail terminé, Rose leur donnerait du beurre frais, légèrement salé, sur une tranche de pain. Un délice ! Julia, immobile dans l'ombre du cantou, leur dit pour tromper leur impatience :

— Ce soir, nous commencerons à effeuiller le maïs. Maurice et Adélaïde viendront nous donner la main à la veillée, mais aussi Benoît et Marthe Souladié du Pradel.

Pour Daniel, ce n'était pas la première veillée : déjà, à quatre ou cinq reprises, les hommes avaient joué aux cartes et aux dominos pendant que les femmes tricotaient, assises près du feu. Et chaque fois une voix s'était élevée pour raconter des histoires ou des légendes, chaque fois ils avaient mangé des gâteaux de maïs, des crêpes de seigle et des cerises à l'eau-de-vie. Daniel en gardait un souvenir merveilleux et il lui tardait de revivre ces moments d'où il avait retiré l'illusion d'une sécurité et d'une paix définitives.

— Tu nous aideras ? demanda Julia en souriant.

— Oh, oui !

— Et tu te feras des moustaches avec la barbe du maïs !

Il ne comprit pas de quoi elle parlait, mais il ne demanda pas d'explications, car les « floc, floc » de la baratte maniée par Rose devenaient plus mats et le moment de goûter approchait. Rose ôta bientôt le couvercle posé sur la baratte conique, commença à pétrir le beurre entre ses doigts, délaitant lentement, avec application. La distribution du lait, la confection des fromages — qu'elle fabriquait avec le caillé — et celle du beurre lui étaient réservées. Il était d'ailleurs évident qu'elle y prenait plaisir, tellement elle retenait ses gestes, les relâchait avec amour, pour façonner des fromages à la saveur sans pareille, et du beurre jaune dont elle remplissait avec application ses pots en grès. Julia l'encourageait de la voix, sans toutefois lui donner des conseils : il y avait trop longtemps, maintenant, que Rose l'avait remplacée et c'eût été lui faire offense !

Vint le moment tant attendu. Rose coupa deux petites tranches de pain de seigle, répandit du beurre, laissa couler deux pincées de sel. Lisa, près de Daniel, poussait de petits cris impatients, tendait la main.

— Et moi, fit Julia, est-ce que j'y aurai droit ?

— Bien sûr, dit Rose, mais d'abord les enfants.

Daniel mordit dans la tartine, ferma les yeux. C'était doux, tiède et salé ; c'était délicieux. Rose lui donna une deuxième tranche, puis une troisième qu'il fit durer jusqu'au bout du plaisir, indéfiniment.

Quand ils furent repus, Daniel manifesta l'intention d'aller jouer dehors avec Lisa, mais déjà la nuit tombait et il fallut allumer la lampe. Rose ferma les volets, remit du bois au feu, et le silence envahit la pièce, entrecoupé par les craquements secs des bûches dans l'âtre. Pourquoi fallait-il qu'en ces instants, chaque soir, il pensât à ses parents en éprouvant le besoin d'en parler aux femmes ?

— Où sont-ils ? demanda-t-il à mi-voix, s'adressant à Julia.

La grand-mère soupira, leva la tête, une ombre passa dans ses yeux noirs.

— Et où veux-tu qu'ils soient ? dit-elle. Ils sont arrivés là-bas, et ils attendent que ça se passe.

— C'est où, là-bas ?

— Oh ! *Per oquo !* Là-bas, c'est de l'autre côté de la mer, tu le sais comme moi. A quoi ça sert de se ronger les sangs ?

Elle ajouta, plus bas, regrettant déjà la vivacité de sa voix :

— Écoute, mon petit, il faut faire confiance au bon Dieu.

L'enfant les devina aussi malheureuses que lui et s'en voulut. Alors il feignit brusquement de s'intéresser aux dominos épars sur la table.

— Rose va faire une partie avec toi, dit Julia, je suis sûre que tu vas la gagner.

Ils donnèrent la « botte » à Lisa pour qu'elle ait l'impression de jouer elle aussi, alignèrent deux ou trois pions, mais la partie ne put aller à son terme, les hommes rentrant plus tôt pour préparer la veillée.

Le repas fut bref : le temps pressait car les invités allaient arriver. Une fois débarrassée des reliefs du dîner, la table fut recouverte de pieds de maïs. Julia expliqua à Daniel en quoi consistait l'effeuillage : il fallait séparer les épis de la plante dont on se servait au printemps pour confectionner les matelas. Les longs poils filandreux que Julia appelait la barbe seraient séchés

au grenier, puis Rose en tirerait une tisane diuré-
tique.

Ce ne fut pas Maurice et Adélaïde qui arrivèrent les premiers, mais ceux que Daniel ne
connaissait pas encore : les Souladié du Pradel.
Benoît, proche de la soixantaine, était un petit
homme sec et noir, aux yeux très clairs. Sous
une apparence fragile, on le devinait vif et
prompt à la repartie. Marthe, plus grande que
lui, ne paraissait pas en bonne santé : son visage
anguleux laissait saillir les os des pommettes et
des tempes, et ses yeux semblaient figés pour
l'éternité. Au bout de ses trop longs bras, ses
mains trituraient on ne savait quoi dans les
poches d'un tablier noir qui descendait jusqu'à
ses sabots.

Rose les fit asseoir et leur proposa des cerises
à l'eau-de-vie « pour faire arriver les retarda-
taires ». Ceux-ci frappèrent à la porte peu après,
saluèrent tout le monde et s'installèrent à table
avec un plaisir non dissimulé. Daniel se trouva
près d'Adélaïde qui lui entoura les épaules du
bras et l'attira contre elle.

Le travail commença d'abord en silence, puis,
Julia, qui s'occupait du maïs placé à la portée de
sa main, s'exclama :

— Allez, Benoît, c'est le moment ! Ne nous
faites pas languir !

Benoît feignit la surprise, se fit un peu prier,
poussa un long soupir puis se lança, en patois,

dans la légende des Fées de la rivière Ouysse. Daniel en comprit l'essentiel, car la voix chaude du grand-père avait le don de suggérer et de faire naître des images. Cependant, le travail allait bon train et Alphonse semblait content. Même s'il buvait beaucoup, son hostilité coutumière paraissait s'être évanouie. Baptiste, lui, travaillait plus lentement et souriait aux anges. Rose regardait Benoît avec un air entendu, comme si le fait de connaître déjà ces histoires ajoutait à son plaisir.

Daniel, dans la pénombre tiède, ne pouvait s'empêcher de songer aux longues soirées d'hiver avec ses parents, à l'heure où sa mère se mettait au piano, où son père lisait dans l'appartement si différent de cette cuisine. Avait-il jamais ressenti une telle chaleur ? Il en éprouvait si fort la quiétude qu'il en concevait, comme chaque fois, un peu de honte. Les odeurs d'étoffes, de velours et de feuilles rehaussées par celles, plus vivaces, de la cochonnaille pendue au plafond, des bûches calcinées, des deux chiens couchés sous la table, pénétraient en lui par tous les pores de sa peau, le rendaient ivre, l'alanguissaient. Avait-il vécu ailleurs qu'ici ? Il n'en était plus très sûr, et les efforts accomplis pour retenir son passé lui paraissaient dérisoires. Aussi se laissait-il aller au gré des mots prononcés par le vieux Benoît qui racontait maintenant

174

la légende d'une sainte du Moyen Age au destin dramatique...

Les feuilles s'amoncelaient sur le sol, les épis dans les sacs, la barbe dans une panière d'osier. Il fallut manger des pommes cuites, boire un peu d'eau-de-vie, puis le travail reprit. La conversation roula sur les gens de connaissance, sur l'hiver qui s'annonçait rude (il gelait déjà le matin depuis le début du mois), et enfin sur la guerre. Alphonse nourrissait à son sujet des idées bien arrêtées. Échauffé par l'alcool, il ne dissimula pas qu'il fournissait des denrées aux gens des villes à des prix mirobolants. Maurice et Adélaïde parlèrent de Léon, le patron du café-tabac, et Alphonse prit sa défense en se félicitant de ce qu'il y « ait encore de bons Français pour aider le Maréchal ». Benoît et Marthe en parurent contrariés.

— Vous savez, dit Benoît, il se passe quand même de drôles de choses dans le pays. Elodie, notre fille, est arrivée la semaine dernière de Paris, et elle nous a dit que tous les juifs avaient été arrêtés. On a beau dire, c'est quand même pas des manières de traiter les gens.

Un lourd silence succéda à ces paroles. Subitement, le feu dans l'âtre devint le seul bruit de la nuit. En entendant Benoît, Daniel avait senti un grand froid se poser sur lui. La peur, l'épouvante, même, de nouveau l'assaillaient. Son regard croisa celui de Julia qui esquissa un pauvre sourire. Il eut une nausée, s'affaissa un peu. Baptiste lui tendit une poignée de noix qu'il refusa d'un signe de tête. Alphonse, lui, avait repris son travail comme si de rien n'était. Cependant, comme le silence persistait, Benoît et Marthe se demandaient ce qui se passait. Ce fut Julia qui dissipa le malaise en demandant des nouvelles d'Élodie dont avait parlé Marthe.

— Elle nous a amené son dernier, dit celle-ci. Elle aurait bien voulu nous suivre, mais il est trop petit pour veiller si tard ; je reviendrai vous le montrer dans la semaine.

Daniel n'écoutait plus. Des idées terribles s'insinuaient en lui, creusaient un chemin douloureux : et si ses parents avaient été arrêtés avant de partir ? S'ils se trouvaient en prison ? Si les Allemands les avaient tués ? Du regard, il appela Rose et Julia à son secours, mais elles baissaient la tête sur leur ouvrage, comme si elles n'osaient plus affronter le sien. Il se sentit soudain très seul, se leva en faisant tomber des épis et sortit.

Frissonnant dans la nuit froide, il prit appui contre le mur de la grange et vomit douloureusement, le corps agité de longs spasmes. Quand ce fut fini, il s'assit sur le petit banc de pierre, la vue brouillée, le souffle court, et il demeura un long moment immobile, recroquevillé comme une bête malade.

Plus tard, en se posant sur son épaule, la main de Baptiste le fit sursauter.

— Eh bien! Tu veux plus de nous? On se demandait où tu étais passé.

Daniel se tourna vers Baptiste, se laissa aller contre lui.

— J'ai peur, murmura-t-il.

— Allons, petit, faut pas t'en faire comme ça, il y a belle lurette que tes parents sont dans les Amériques!

— Tu crois?

— Pardi! Et puis, tu sais, à Paris ils racontent n'importe quoi. D'ailleurs, quand tu connaîtras Élodie, tu comprendras qu'elle a la langue bien pendue : elle est toujours à s'intéresser aux uns et aux autres et à colporter des ragots.

Daniel se sentit un peu mieux. Il demeura un instant silencieux, demanda :

— Et si c'était vrai?

Le grand-père soupira :

— Ce qui est vrai, c'est que tes parents, à l'heure qu'il est, ils se trouvent à des milliers de kilomètres de la France; alors tu sais, ils peuvent bien arrêter tout le monde à Paris que ça ne doit pas nous inquiéter, ni toi ni moi.

Baptiste avait depuis toujours la faculté de le rassurer. Daniel trouva la force de relever la tête. Leurs regards se croisèrent.

— Ballot, va! fit le grand-père en passant

affectueusement la main dans les cheveux de l'enfant.

Ils restèrent un long moment sans parler, puis Baptiste, désignant le Chariot du doigt, demanda d'une voix changée :

— Sais-tu comment l'appelaient les Anciens ?

— Non.

Baptiste rêva quelques secondes, souffla :

— Le Chariot des âmes.

— Ah ! fit Daniel.

— Et tu sais pourquoi ?

— Non.

— Parce qu'il rassemble les âmes de ceux qui ont été séparés et qui se cherchent.

— C'est une légende ?

— Non, ce n'est pas une légende ; la preuve : si on regarde bien, on le voit avancer sur les chemins.

— Quels chemins ?

— Les chemins tracés par les étoiles, pardi ! Si tu es courageux, si tu retrouves le sourire, je te les montrerai bientôt, c'est promis !

Incrédule, Daniel exigea :

— Montre-les-moi tout de suite.

— Non, ce soir c'est pas possible, il y a trop de brume ; on les voit beaucoup mieux pendant les nuits de neige ou de grand froid.

Deux ou trois minutes s'écoulèrent, durant lesquelles Daniel, cherchant dans le ciel les mystérieux chemins, oublia son angoisse. Baptiste le comprit, il se leva, le tira par le bras en disant :

— Viens souhaiter la bonne nuit à tout le monde ; maintenant c'est l'heure d'aller dormir.

Un peu de neige tomba la première semaine de décembre, mais elle ne tint pas sur le sol, au grand regret de Daniel qui partait chaque matin pour l'école dans le froid mordant, un vieux béret sur la tête et un cache-nez de laine enroulé autour de son cou. Il s'amusait à surprendre dans les nids les merles et les mésanges incapables de s'envoler à son approche, il rencontrait le facteur qui le saluait d'un martial : « Adieu, petit Louisou », croisait des gazogènes qui hoquetaient sur la route gelée, se faisait doubler par une Panhard ou une Rosalie qu'il suivait longtemps du regard, s'arrêtait pour discuter avec une vieille tout emmitouflée dans ses pèlerines, avec un chasseur précédé par ses chiens, avec un paysan qui sortait d'un chemin et l'accompagnait un moment sur la route en lui parlant de Julia ou de Baptiste. C'était donc avec un vrai plaisir qu'il se mettait en route matin, midi et soir, dans la campagne blanche où l'air glacé résonnait parfois du cri tourmenté des canards sauvages attirés par la rivière.

A l'école, comme au catéchisme, il se sentait

maintenant mieux accepté. A l'approche de Noël, un climat paisible régnait dans la classe où le poêle chauffé au rouge dégageait une chaleur agréable qui exaspérait les odeurs de craie. Il avait demandé à Julia de rester à l'étude pour faire ses devoirs. Elle y avait consenti à deux conditions : il devrait se hâter en chemin et se munir d'une lanterne. Or les devoirs, en vérité, lui importaient peu. Dix minutes lui suffisaient pour s'en acquitter. C'étaient les livres de la bibliothèque qui l'intéressaient. Il les dévorait sous le regard bienveillant du maître, passait de *Quatrevingt-Treize* au *Père Goriot,* de *Jane Eyre* aux *Misérables* avec un appétit impossible à satisfaire. Peu d'élèves, à cette heure, occupaient la classe. Il adorait ces moments de silence et de paix, se sentait proche de ses parents qui lui avaient donné le goût de la lecture. S'il fermait les yeux, il pouvait les imaginer près de lui, deviner leur présence, entendre leur souffle. C'est tout juste s'il ne respirait pas l'odeur des strudels en train de cuire dans le four, ou celle de la carpe farcie fumant sur la table. Il vivait ces moments avec une mélancolie bienheureuse dont il sortait ravi, prêt à affronter l'obscurité froide de la nuit où les siens lui faisaient escorte, le frôlaient dans l'ombre.

Un soir, pourtant, rentrant de l'école avec sa lampe qui lui avait paru attirer les flocons de

180

neige, il trouva le docteur venu soigner Lisa couchée depuis midi.

— Ne t'inquiète pas, lui dit Julia, c'est sûrement pas bien grave.

Le médecin hocha la tête, mais ne répondit pas.

— Je peux la voir? demanda Daniel.

— Non, dit le médecin, c'est peut-être contagieux, on verra dans quelques jours.

Il partit après avoir donné à Rose une ordonnance et précisé que Lisa devait prendre les médicaments le soir même. Comme Rose se rendait à la pharmacie du village, Daniel s'en fut aider les hommes à la traite.

— Qu'est-ce qu'il a dit? demanda Alphonse en apercevant l'enfant.

— Il a dit que c'était pas grave.

Alphonse haussa les épaules.

— On se demande à quoi ils servent, ces gens-là!

Daniel prit un tabouret et s'assit près de la Blanche qui tourna vers lui ses grands yeux placides. Même s'il trayait moins vite que Baptiste et Alphonse, il se plaisait maintenant à cette tâche. La chanson du lait giclant dans la cantine s'associait dans son esprit à l'image de Rose délaitant le beurre, et son front posé contre le flanc tiède de la Blanche lui rappelait une vague tiédeur maternelle. Il s'amusait à croiser les trayons, à dessiner des motifs vite effacés par l'écume du lait et, quand il s'arrêtait, à sucer ses doigts.

— Elle a toujours de la fièvre ? demanda Alphonse en passant derrière lui, sa cantine à la main.

— Je crois, répondit-il en ressentant une animosité à laquelle il n'était plus habitué.

Il pensa qu'Alphonse lui en voulait d'être en bonne santé quand Lisa, elle, était malade, et il murmura :

— Qu'est-ce que j'y peux, moi ?

De fait, au cours du repas, Alphonse, hostile, leva de temps en temps sur lui un regard noir, chargé de rancœur. Et cela ne fit que s'accentuer le lendemain et les jours suivants, la santé de Lisa ne s'améliorant pas, au contraire. Le médecin venait tous les soirs, parlait de scarlatine, de croup, de pneumonie, sans toutefois établir un diagnostic définitif. Il avoua son embarras trois jours plus tard, juste avant de dîner, alors que Daniel revenait de la grange avec Baptiste et Alphonse :

— C'est à n'y rien comprendre, dit-il, les sulfamides ne font aucun effet, il vaudrait mieux l'emmener à l'hôpital.

C'était là une solution extrême, tous le savaient. Les gens des campagnes avaient pour habitude de se soigner chez eux. Ils acceptaient plus volontiers de mourir que de se séparer des leurs.

— Enfin, nom de Dieu, qu'est-ce qu'elle a, ma fille ? tonna Alphonse.

— Elle va très mal, bougonna le médecin, et il faudrait l'emmener à Saint-Céré.

— Je mettrai jamais ma gosse à l'hôpital, cria Alphonse. Soignez-la ! C'est votre métier.

Le médecin se leva, rangea ses affaires, s'approcha de Julia :

— Qu'est-ce que tu en dis, toi ? demanda-t-il.

Julia soupira.

— On n'en est pas à la dernière extrémité, tout de même, fit-elle.

Le médecin prit le temps de la réflexion, souffla, si bas qu'on l'entendit à peine :

— Si ça ne s'améliore pas, dans deux jours elle peut être morte.

Rose, qui avait poussé un cri, se précipita vers lui :

— C'est pas vrai, dites ?

Le médecin ne répondit pas, détourna la tête. Alphonse, brusquement furieux, lança :

— Allez, foutez le camp et ne remettez plus jamais les pieds dans cette maison !

Le médecin se tourna vers lui, et Alphonse, qui avançait, menaçant, s'arrêta net. Le bousculant au passage, le médecin quitta la pièce en haussant les épaules et la porte claqua. Un lourd silence tomba, entrecoupé seulement par les sanglots de Rose, puis Julia s'écria :

— Vous aviez bien besoin de le jeter dehors,

bonté divine ! Qu'est-ce qu'on va faire maintenant ? Vous pouvez pas vous contrôler un peu,
non ? C'est quand même malheureux de ne
savoir supporter personne !

Alphonse ne réagit pas, se contenta de se verser un verre de vin.

— J'y vais, fit Baptiste, muet jusqu'alors.

Il sortit, et Rose s'approcha de la fenêtre pour
s'assurer qu'il rattrapait le médecin avant son
départ. Les deux hommes discutèrent deux ou
trois minutes, puis Baptiste revint en disant
« que c'était arrangé ». Alphonse s'en alla dans
la chambre de Lisa, bientôt suivi par Rose.
Daniel voulut y aller lui aussi, mais Baptiste le
retint.

— Non, mon petit, reste là, il manquerait
plus que tu tombes malade, toi aussi !

Et l'enfant dut se rendre seul dans la grange
avec, dans sa tête, des images violentes et
l'impression d'un malheur imminent. Il passa du
côté des vaches, s'attarda près d'elles, s'appuya
un moment contre la Blanche dont la chaleur lui
fit du bien. Il lui fallut de longues minutes avant
de pouvoir s'allonger sur sa paillasse où, les
bras croisés derrière la tête, il tenta vainement
de trouver le sommeil.

L'attente angoissée dura deux jours, deux
jours durant lesquels Daniel, à l'école, ne cessa

de penser à Lisa. Le jeudi suivant, pendant la matinée, il erra dans la cuisine, désolé de n'être utile à rien, de ne pouvoir même pas entrer dans la chambre. Pourtant il ne croyait pas vraiment à tout ce qu'il entendait autour de lui : cela lui paraissait insensé, car il n'avait pas vu Lisa malade. La dernière fois qu'ils s'étaient trouvés ensemble, ils avaient couru au village pour porter des œufs à Adélaïde. Et puis une semaine avait passé et tout s'était précipité...

Il sortit fendre du bois au début de l'après-midi et, à son retour, une heure plus tard, il eut très peur car Julia pleurait. Baptiste, lui, était assis dans son coin, tête baissée, tournant et retournant un épis de maïs dans ses doigts. Alphonse, très pâle, retenait Rose qui semblait sur le point de tomber.

— Elle ne passera pas la journée, disait le médecin.

Daniel posa une à une ses bûches, se redressa d'un mouvement brusque, lui fit face :

— Ce n'est pas vrai, dit-il.

— Si, dit le médecin. Et, plus, bas, comme si le fait de parler à un enfant l'intimidait : c'est fini, il n'y a plus rien à faire.

Il y eut un moment de silence puis :

— Je veux la voir, fit Daniel.

Julia interrogea le médecin des yeux. Celui-ci haussa les épaules d'un air las. Il paraissait soudain très vieux. Son grand corps inutile semblait l'accabler. Le regard de Daniel croisa celui d'Alphonse et l'enfant crut y déceler une sorte d'encouragement. Alors, sans attendre d'autorisation, il traversa la cuisine et se dirigea vers la chambre.

Il n'était que rarement entré dans la pièce aux murs blanchis à la chaux où l'armoire basse en merisier couvrait la presque totalité d'un pan de mur. Sur le lit en bois de noyer aux dosserets vernis, Lisa reposait sous un édredon de plumes rouge. Ses cheveux défaits collaient à son front, et son visage, couvert de sueur, paraissait si osseux que Daniel la reconnut à peine. Sous les yeux clos, deux cernes mauves s'élargissaient jusque sur les joues qu'elles semblaient creuser. Lisa respirait difficilement, par saccades avec, à chaque inspiration, un léger râle. Surpris par le masque de la petite, Daniel s'assit avec précaution sur le bord du lit; comme il ne savait que faire, il lui prit une main et la serra. Elle n'ouvrit pas les yeux, mais ses cils frémirent. Rose, qui était entrée derrière lui, étouffa un sanglot. Daniel, lui, n'avait pas peur. Il était plutôt étonné en découvrant combien, en une dizaine de jours, Lisa avait changé. De longues minutes passèrent. Il essaya de parler, mais les mots ne franchirent pas ses lèvres. Il s'allongea, posa sa tête sur l'oreiller sans lâcher la main de Lisa. Il se retenait de respirer, n'osait pas bouger. La porte s'ouvrit à plusieurs reprises, d'abord poussée par Rose, puis par Alphonse, et de nouveau par Rose. Ils ressortirent aussitôt, sans avoir prononcé un mot. Par les volets entrouverts, Daniel regarda un moment tomber la nuit sur les prés et les champs, derrière la maison. Il s'assoupit pendant quelques minutes, puis des bruits d'assiettes le tirèrent de sa torpeur. Il écouta la respiration fiévreuse de Lisa. Une demi-heure s'écoula encore, et il entendit la grosse voix du médecin. La lumière de la lampe jaillit brusquement ; il lâcha Lisa, se redressa. Rose, Alphonse et Baptiste entrèrent derrière le médecin qui s'assit sur le lit, ausculta Lisa, demanda à l'enfant :

— Tu es là depuis que je suis parti ?

— Oui, répondit Daniel.

— Qu'est-ce que tu as fait ?

— Rien. Je me suis endormi.

Le médecin paraissait circonspect. Il se leva, passa dans la cuisine et s'assit face à Julia tandis que Rose, Alphonse et Baptiste s'approchaient, intrigués.

— Je ne sais pas comment l'expliquer, fit-il, mais il me semble qu'elle va mieux. Enfin... Je n'en suis pas très sûr.

Et, prenant un air mystérieux en s'adressant à Julia :

— Appelle le petit !

— Daniel ! fit Julia, viens ici, mon drôle !

L'enfant, inquiet, vint dans la cuisine en baissant la tête.

— Qu'est-ce que tu lui as fait boire ? demanda le médecin.

— Rien, dit Daniel qui se sentait coupable, sans savoir de quoi.

— Tu as dormi sur le lit ?

Il n'osa répondre, car le regard d'Alphonse pesait sur lui.

— Réponds, dit Julia, n'aie pas peur.

Il hésita, dit enfin tout bas :

— Au bout du lit, j'étais fatigué.

Il vint près de Julia, évita de lever les yeux vers Alphonse. Nul ne parlait plus. Le médecin soupira, demanda à Rose un peu d'eau-de-vie qu'il but lentement après avoir trinqué avec Baptiste.

— Écoutez, dit-il enfin...

Il s'interrompit, finit son verre, attendit encore, puis :

— Tout ça va vous paraître un peu ridicule, commença-t-il, mais moi, si j'étais à votre place, eh bien, je laisserais dormir ce gosse dans la chambre de la petite cette nuit.

Un long silence lui succéda. Daniel, de plus en plus mal à l'aise, retenait son souffle en guettant la réaction d'Alphonse. Mais celui-ci demeura muet et le silence se prolongea encore un moment. Le médecin déplia son grand corps, passa la main dans les cheveux de Daniel.

— Oui, je sais, fit-il, tout ça n'est pas très sérieux.

Et se décidant brusquement :

— Bon. On m'attend... Bien entendu, vous ferez ce que vous voudrez.

Il sortit avec, sur son visage, une expression amusée que l'enfant ne lui avait jamais vue.

Une fois la porte refermée, Julia se tourna vers son gendre et dit d'un ton qui n'admettait pas de réplique :

— Vous n'avez rien contre ?

Alphonse haussa les épaules, se versa un verre de vin et répondit d'une voix qui tremblait un peu :

— En tout cas, s'il lui arrive malheur, à ma petite, je saurai bien à qui je le dois.

Il sortit à son tour pour aller traire, bientôt suivi par Baptiste qui suggéra avant de quitter la cuisine :

— Faites donc manger le petit avant nous ; autant qu'il la rejoigne le plus vite possible...

Il ne fallut donc pas plus d'un quart d'heure pour que Daniel se retrouve près de Lisa. Il éteignit la lumière, s'allongea sur le lit et lui prit la main. Il l'écouta respirer, demeura cependant à bonne distance tout le temps qu'il entendit du bruit dans la cuisine.

Plus tard, bien plus tard, quand tout fut silencieux, que Rose fut venue donner ses médicaments à Lisa, il s'en approcha et se blottit contre elle. Il n'avait pas peur, car il n'imaginait pas qu'elle pût mourir. Au contraire, tout heureux à l'idée de dormir près d'elle, il lui parla un long moment, les yeux grands ouverts dans l'obscurité.

Le lendemain matin, ce fut la petite qui le réveilla. Assise sur le lit, elle le considérait d'un air étonné en faisant :

— Vi, vi...

Il lui parla un peu, puis il se dépêcha de sortir de la chambre pour prévenir Rose et Julia. Il assista alors pour la première fois au transport de Julia effectué par Rose et Baptiste jusqu'à la cheminée. Le médecin arriva tandis qu'ils déjeunaient. Il passa dans la chambre, en ressortit très vite et, sans façon, s'installa à table.

— Elle va mieux. La fièvre est tombée.

Il commença à manger la soupe servie par Rose, s'adressa à Alphonse assis face à lui.

— Peut-être une coïncidence, dit-il, va savoir !

Il semblait très gai. Cette joie un peu enfantine dans ce grand corps étonnait.

— Nom de Dieu ! J'en ai vu dans ma garce de vie ! fit-il en hochant la tête, mais c'est la première fois qu'il m'arrive un truc comme ça.

Et, dans un éclat de rire qui fit trembler la table :

— Il m'aura fallu arriver à la soixantaine pour me demander s'il n'y a pas quelqu'un, là-haut, qui passe son temps à s'amuser en tirant les fils des pauvres marionnettes qu'il a fabriquées.

Une semaine suffit à Lisa pour se remettre. Chaudement vêtue par Rose, elle recommença à sortir le jour même des vacances de Noël. Daniel, lui, avait obtenu l'autorisation d'emporter deux livres au Verdier et il se réjouissait à l'idée de les lire à la veillée : c'était le *Sans famille* d'Hector Malot et le *David Copperfield* de Charles Dickens. Il savait qu'il en aurait besoin, car seule la lecture avait le pouvoir de le distraire, de lui faire oublier son obsession des lettres. Or il n'en parlait plus à Julia, n'en trouvant plus le courage. Il n'y avait pas d'autre alternative que d'imaginer ses parents à l'abri du danger, même s'ils étaient loin, même s'ils n'écrivaient pas, ou se laisser mourir. Mais comment se laisser mourir près de Julia, de Baptiste, de Rose et surtout de Lisa ? Ils en auraient été trop malheureux. Il fallait donc s'apprêter à vivre du mieux possible ces vacances qui commençaient, et tenter d'oublier tout le reste.

Pendant les premiers jours, les rafales de pluie glacée apportées par le vent du nord limitèrent ses sorties. Il demeura souvent dans la cuisine où les bûches flambaient joyeusement, il joua aux dominos avec Julia et il aida Rose dans ses tâches domestiques. Parmi celles-ci, deux lui faisaient horreur : gaver les canards et donner la « bacade » aux cochons. S'agissant des canards, il se contentait de verser les grains dans l'entonnoir. Rose, elle, maintenait les pauvres volatiles serrés entre ses genoux, enfonçait l'appareil dans le bec et tournait la manivelle en s'arrêtant parfois, pour faire glisser les grains dans le jabot de l'animal qui se débattait avec des soubresauts de douleur. Malgré les mois passés à la ferme, Daniel, comme tous les enfants de la ville, ne s'habituait pas à la cruauté des gens de la campagne envers les animaux :

— Tu vois bien que tu lui fais mal, disait-il à Rose.

— *Oh la yéou!* que tant d'affaires ! Je lui donne à manger et il aime ça. D'ailleurs tu changeras de discours quand tu auras le foie et le confit dans ton assiette !

— Je n'en mangerai pas !

— C'est ça ! Espère un peu !

— Je te dis que je n'en mangerai pas !

Rose haussait les épaules. Une mèche de cheveux sur son visage, elle usait de toute sa force pour maintenir les canards récalcitrants et ne s'embarrassait pas de scrupules : pour elle, les animaux de ferme n'existaient que pour être mangés et il n'y avait pas de quoi s'en émouvoir.

Daniel n'aimait pas davantage porter la

« bacade » aux cochons. Il détestait surtout la truie qui cherchait à lui mordre les mollets ; Rose lui avait même dit que, par faim, elle était capable de manger ses petits. Cela lui paraissait être le comble de la cruauté. Alors il ne suivait Rose que si elle lui demandait de l'aider à porter le chaudron, et il s'éloignait aussitôt la porte refermée.

Heureusement, il se plaisait davantage aux autres travaux : chargé de chauffer le four à pain remis en service pour économiser les tickets, il écoutait crépiter les fagots de sarments, surveillait la cuisson des tourtes pétries par Baptiste, goûtait enfin avec délice le pain croustillant. Le four se trouvait au fond de la remise. Il avait fallu en rebâtir les murs et le plancher, car il était à l'abandon depuis longtemps. Lisa y venait aussi, apportait deux ou trois chiots, et les deux enfants jouaient avec eux pendant des heures, malgré l'interdiction de Baptiste.

Le reste du temps, dehors, ils faisaient de longues promenades le long de la rivière, épiaient les canards sauvages et les poules d'eau, puis s'en allaient au Pradel rendre visite à Marthe qui leur donnait des crêpes. Ils rentraient avant la nuit pour retrouver Julia et Rose qui, parfois, cuisait des gaufres. Tout s'arrêtait. L'hiver et le vent pesaient sur la maison dont la charpente criait, l'odeur du bois brûlé errait dans la cuisine et les enfants s'engourdissaient.

Daniel ressortait seulement pour la traite, revenait très vite près du feu, mangeait dans un demi-sommeil, partait le plus tard possible dans la grange où il restait un long moment assis entre deux vaches avant de se coucher.

Un seul souci immédiat dans ces heures protégées : Alphonse, peu à peu, retrouvait son agressivité. Lisa guérie, il recommençait à les surveiller et Daniel devinait qu'il ne supportait plus de les savoir ensemble. Aussi, lorsqu'il se trouvait seul dans la grange avec Lisa, il lui disait :

— Ne restons pas trop longtemps.

Il s'écartait d'elle et, comme elle ne comprenait pas, comme elle en souffrait, il ajoutait :

— C'est parce que je suis juif, tu comprends ?

Elle l'examinait de ses grands yeux attentifs, semblait implorer une explication supplémentaire, l'appeler à son secours.

— Il croit qu'on n'est pas comme tout le monde, tu comprends ? Il ne voudra jamais qu'on vive ensemble.

Elle se rapprochait de lui, il la repoussait doucement, elle se mettait à pleurer.

— Ne pleure pas, disait-il. Tu sais qu'on partira, que je t'emmènerai là où il y a des bateaux qui volent sur les vagues. Alors on fera tout ce qu'on voudra, loin d'ici, loin d'Alphonse, et on ne se quittera plus jamais.

Si elle ne s'apaisait pas, il se lançait dans de grandes tirades dont les mots éblouissaient la petite.

— Il faudra marcher longtemps, très long-temps, traverser des ponts, des rivières, monter dans une barque la nuit, courir sur un chemin ; ce sera difficile mais je t'emmènerai, je te le promets. Et tu verras qu'on est comme tout le monde, nous, qu'on ressemble à tous ceux du village, tu goûteras les strudels, les falafels et la carpe farcie ; tu verras la maison et le jardin aux roses trémières et, comme on aura de l'argent, beaucoup d'argent, on ira aussi dans le pays où je suis né ; on retrouvera le campanile et la sta-tue de l'homme à cheval, les grandes avenues et les tramways verts, la cathédrale et le théâtre aux réverbères. C'est si beau, Lisa !

Quand elle demeurait lointaine et hostile, il faisait des projets dans lesquels ils étaient réunis à jamais :

— Plus tard, on habitera dans une grande ville, mais on aura aussi un château à la cam-pagne. Le parc sera plein de chevaux, de vaches, de poules, de canards et on y passera nos vacances. Ils vivront tous heureux parce qu'on les tuera jamais. Tu entends, Lisa ? Jamais ! Ils seront à nous, et on construira un immense bateau pour les emmener sur la mer.

Il ajoutait, plus bas :

— Sur le bateau, il y aura aussi nos enfants.

Ils connaîtront les étoiles : Altaïr, Bételgeuse, le Grand Chariot, Orion et toutes les autres.

Ces noms d'étoiles allumaient des lueurs dans les yeux de la petite qui s'animait. Depuis sa plus tendre enfance, Baptiste lui en parlait, et c'était une sorte de chanson dont les sonorités lui étaient devenues familières.

Ils passaient ainsi de longs moments en compagnie de la chienne et des chiots, que Lisa ne cessait de caresser. Pourtant, au fur et à mesure que les jours s'écoulaient, elle devenait plus anxieuse. Une semaine après le début des vacances, un soir, elle se mit à pleurer en serrant les chiots contre elle et en gémissant. Daniel essaya de comprendre pourquoi, s'informa auprès de Baptiste :

— C'est parce qu'on va être obligé de les tuer, dit-il, et elle doit le sentir.

Daniel crut que le monde s'écroulait sous ses pieds : tuer des chiots ? Et pourquoi ? Et c'était Baptiste qui prononçait ces mots-là ? Il se souvint de l'existence de chiots au moment de son arrivée, de leur disparition subite dont, à l'époque, il ne s'était pas inquiété. Son indignation n'en fut que plus violente.

— Toi ?... Toi ?... bredouilla-t-il.

Il ne trouvait pas les mots, suffoquait.

— Tout le monde agit comme ça à la campagne, plaida Baptiste, sinon les cours de ferme seraient envahies.

— Et tu les tues toi-même ?

Le grand-père parut s'affaisser, hésita :

— Ça m'est arrivé. Mais plus maintenant : c'est Alphonse.

L'enfant le dévisageait avec horreur, comme si, tout à coup, il les découvrait aussi vils l'un que l'autre.

— Comment fais-tu ? demanda-t-il brusquement.

Baptiste baissa la tête, murmura :

— A quoi ça te servira ?

— Je veux savoir.

Le grand-père sentit qu'il ne pourrait pas s'en aller sans répondre. Il soupira, souffla sans le regarder :

— On les enferme dans un sac qu'on jette dans la rivière.

Il y eut un long moment de silence.

— Dans la rivière, bredouilla l'enfant lorsque les mots eurent fait leur chemin en lui.

Baptiste hochait la tête d'un air désolé, tandis que Daniel ne cessait de le dévisager d'un air horrifié. Et, tout à coup, lui tournant le dos, il partit en courant vers les prés où, malgré le froid, il se réfugia dans la petite cabane qu'il avait dressée entre deux peupliers, adossée à une haie bordée de fougères. Qu'Alphonse fût capable de tuer des chiots ne lui paraissait pas inconcevable, mais Baptiste ? Et Julia qui tolérait cela ! Et Rose qui paraissait ne pas s'en soucier ! Tous mentaient ! Tous se ressemblaient, tous étaient haïssables ! Il se sentit soudain très seul, abandonné aux frontières extrêmes d'un monde inaccessible.

Il réfléchit pendant près d'une demi-heure, retrouva son calme et prit une décision énergique : pour Lisa, il lui fallait à tout prix sauver les chiots. C'était le milieu de l'après-midi, la nuit n'allait pas tarder à tomber. Il courut jusqu'à la grange, y entra, dissimula les trois chiots dans un cageot, sortit par-derrière et partit vers le village avec le projet de les confier à Maurice et Adélaïde. L'idée d'un refus de leur part ne lui vint pas une seconde à l'esprit. Au contraire, il était persuadé qu'ils allaient partager son indignation car ils aimaient trop les animaux, les chevaux en particulier, pour lui refuser leur aide. Leur réaction ne fut, hélas, pas celle que l'enfant espérait.

— On veut bien t'en prendre un, concéda Adélaïde en le voyant si malheureux, mais pour les autres il faudra chercher ailleurs.

Déçu, Daniel entreprit de faire le tour du village et commença ses visites par le coiffeur qui lui semblait digne de confiance. Celui-ci refusa en précisant qu'il n'avait pas le temps de s'en occuper, mais il l'envoya chez Adèle, la mercière, qui en cherchait un. Daniel s'y rendit, trouva enfin un accueil favorable, donna son chiot, remercia, recommença à frapper aux portes qui tardaient à s'ouvrir. L'hiver, le climat de méfiance dû à la guerre, la nuit, la vie difficile contribuaient à rendre sa démarche suspecte. En outre, les villageois ne comprenaient pas ce qu'il expliquait : n'était-ce pas normal de tuer des chiots ou des chatons ? Qui était-il ? D'où venait-il ? Il se présentait comme un neveu des Lachaume du Verdier, discutait, insistait, frappait à une nouvelle porte, courait d'une maison à l'autre et, bientôt, malgré la nuit et la pluie glacée, d'une ferme à l'autre. Enfin, vers neuf heures, un garde-barrière qui vivait seul à deux kilomètres de Florac accepta le dernier chiot comme compagnon. Daniel, harassé, transi de froid, put enfin rentrer. Nul, au Verdier, ne lui parut s'être inquiété de son absence. Baptiste et Julia avaient compris. Ils ne lui firent aucun reproche. Seul Alphonse haussa les épaules en disant :

— Toujours des grimaces de Parisien. Je me demande s'il s'habituera un jour, celui-là.

Le lendemain, dans la grange, Lisa pleura en découvrant l'absence des chiots, mais il lui expliqua qu'ils étaient sauvés. Comme elle ne comprenait pas, il la prit par la main, l'emmena au village chez la mercière, puis chez le garde-barrière où elle poussa des petits cris de joie en les reconnaissant. Ce fut dès lors leur promenade journalière. Ils partaient chaque après-midi sur les chemins, si heureux l'un et l'autre qu'ils

ne sentaient ni le vent, ni la pluie ni la neige qui
se mit à tomber à gros flocons trois jours avant
les fêtes.

Noël était enfin là. Le festin d'avant la messe
de minuit se préparait dans l'effervescence et la
bonne humeur. Rose avait sorti chaudrons, fait-
touts, casseroles et cuisinait depuis le matin en
chantonnant, aidée par Julia qui pelait des
oignons sur son tablier ouvert sur ses genoux.
Au début de l'après-midi, Daniel et Baptiste
avaient construit un bonhomme de neige lors
d'une éclaircie, et celui-ci avait fait l'admiration
de Lisa. Il y avait dans l'air une promesse de
fête que la neige rendait plus attrayante encore.
L'enfant essayait de l'imaginer, pensait à celle
de Chavouoth, de Rosh Hashanah, de Pourim,
mais il n'avait décidément rien connu de semblable. Il se disait que cela tenait sans doute à
l'atmosphère de la maison, aux champs et aux
prés blancs aperçus au-dehors, aux odeurs de
cuisine, au silence aussi, peut-être, qui suscitait
des mystères. Même Alphonse semblait sous le
charme et souriait chaque fois qu'il entrait dans
la maison. Qu'était-ce donc, cette soirée pro-
mise par Baptiste et Julia ? Qu'allait-il se passer ? Il n'osait pas poser de questions, car nul ne
parlait, pas même Julia, pas même Rose qui

s'agitait entre les plumes des poules ébouillantées, tout en surveillant ses casseroles.

Vers quatre heures, il sortit seul pour une courte promenade. Il courut alors comme un fou, puis, à bout de souffle, s'allongea la face dans la neige comme pour s'approprier ce monde d'où la violence et le malheur étaient exclus. Dès son retour, Rose l'emmena avec Lisa au village, où elle alla se confesser. La nuit tombait avec des effets de nacre. La douceur relative de l'après-midi durcissait contre le fer-blanc du vent du nord. La charrette avançait lentement, au son des matines qui peuplaient la nuit de notes cristallines.

Au village, il y avait du monde sur la place. Les femmes faisaient des courses, des hommes entraient et sortaient du café, du salon de coiffure, quelques-uns même de l'église. Sous le porche, Rose dit à Daniel :

— Il faudrait communier toi aussi, sinon monsieur le curé ne sera pas content.

Et, comme il ne répondait pas :

— Déjà que tu ne vas pas souvent à la messe ! Tu peux bien faire un effort aujourd'hui.

L'enfant eut un sursaut de refus, secoua la tête. Rose, visiblement peinée, insista :

— Pourquoi ? Tu as peur de quoi ?

Il était bien incapable de s'expliquer, mais il savait confusément qu'il ne devait pas communier. Un tel air de contrariété était inscrit sur son visage qu'elle capitula en caressant ses cheveux :

— Attendez-moi ici tous les deux.

Il fit asseoir Lisa près de lui, tandis que Rose s'avançait vers le chœur où deux femmes priaient, tout de noir vêtues. Une odeur bien connue de bougie, de buis et de fleurs envahit Daniel. Il ferma les yeux, soupira : il lui sembla qu'il était là pour s'adresser à ses parents, les rejoindre par la pensée, mais il n'y parvint pas, écouta simplement les notes des matines s'éteindre au-dessus de lui. Le silence tomba. Il songea à ce que lui avait dit Julia, avant de partir : « Demain matin, le Père Noël aura déposé des cadeaux dans la cheminée. Tu es un peu grand, certes, avait-elle ajouté, mais ça ne fait rien » ; et il avait souri, complice...

Inquiète de ne plus voir sa mère, entrée dans le confessionnal, Lisa tira Daniel par la manche et l'entraîna dans l'allée. Il dut la retenir en disant :

— Elle va revenir, n'aie pas peur.

Mais elle lui échappa, se dirigea vers l'ombre mystérieuse de la nef et s'approcha du confessionnal. Il l'appela en vain : elle disparut à l'intérieur sans soulever la moindre protestation de Rose ou du curé. Il revint alors vers l'entrée de l'église et attendit. Rose apparut bientôt, tenant Lisa par la main. Il y avait sur son visage une sorte de béatitude qui accentuait son expression de douceur naturelle. Tête baissée, elle s'agenouilla à côté de Daniel, pria en remuant les lèvres.

Enfin, ils sortirent de l'église et, comme à chaque fois, il en conçut du soulagement. La nuit était tombée tout à fait. Le froid la parait d'une clarté bleutée, étrange et irréelle. Sur la charrette, bien serré contre Rose sous une couverture, il sentit une chaleur maternelle qui lui en rappela aussitôt une autre, et quelque chose en lui se brisa. Il se détacha brusquement de Rose, qui lui dit :

— Reste contre moi, ballot, tu vas prendre froid.

Il se blottit de nouveau contre elle jusqu'au Verdier. Les chiens aboyèrent puis, reconnaissant la charrette, repartirent sous la remise. Une surprise attendait les enfants. Près de la cheminée, Baptiste avait installé une petite crèche. Il en avait lui-même sculpté l'âne, le bœuf et les personnages bibliques dont Julia raconta l'histoire. Assis près d'elle, les deux enfants ne perdirent pas un mot de ses explications, tandis que Rose et Baptiste s'affairaient autour de la table. La cuisine sentait l'oignon et la soupe de pain. Rose mettait le couvert en chantonnant, le crépitement du feu dans la cheminée répondait aux rafales de vent contre les vitres, et la chaleur parfumée des mets évoquait délicieusement l'imminence d'un festin. Alphonse entra, l'air réjoui. Il se frotta les mains, s'assit au cantou et prit Lisa sur ses genoux. La petite, après un sursaut, se laissa faire. Daniel remarqua que le visage d'Alphonse avait perdu son air de dureté. Il se dit que décidément, ce soir, tout était différent.

Les aboiements des chiens dans la cour annoncèrent bientôt l'arrivée des Souladié puis, quelques instants plus tard, ce furent Maurice et Adélaïde, précédant de peu Gontran et Louise de Grandval. Ceux-là, Daniel ne les connaissait pas encore. Vagues cousins de Julia, ils étaient traditionnellement invités à Noël au Verdier et rendaient le plus souvent l'invitation à Pâques. Gontran était un homme grand, anguleux et austère. Au reste, tout en lui était démesuré : ses bras, ses jambes, son nez, sa bouche et ses yeux d'un vert gris qui évoquaient un miroir de tain. Louise, elle, était petite et ronde. Ses cheveux blancs coupés court dessinaient autour de sa tête aux traits doux une sorte de couronne. Daniel les aima tout de suite, car ils l'embrassèrent et discutèrent avec lui comme s'ils le connaissaient depuis toujours. Tout le monde prit place à table et l'enfant fut très content de se retrouver entre Adélaïde et Baptiste, face à Louise qui lui souriait.

Le repas dura longtemps, très longtemps. Après la soupe, Rose apporta des rillettes d'oie, puis des asperges, de la dinde, des haricots verts, de la tarte, enfin, dont Daniel put à peine manger. Il ne distinguait plus les mots dans le brouhaha des conversations. Sans doute avait-il trop bu, tout comme Lisa qui s'était allongée de l'autre côté de la table, la tête sur les genoux de Rose. Il ne savait plus qui parlait. Était-ce Gontran, Maurice ou Baptiste ? La tête lui tournait un peu. Des rires retentirent, qui le tirèrent de sa torpeur. Baptiste, le prenant par l'épaule, lui versa un fond de verre d'eau de coing.

— On va partir pour la messe, dit-il, réveille-toi, mon gars.

Il fallut se lever, s'habiller chaudement et sortir dans le froid de la nuit. Gontran, Maurice, Benoît et Alphonse demeurèrent au Verdier pour jouer aux cartes et tenir compagnie à Julia. On se retrouverait après la messe pour manger la soupe à l'oignon du réveillon. Lisa et Daniel se serrèrent sur la banquette entre Baptiste et Rose, tandis que les autres prenaient place sur une deuxième charrette conduite par Adélaïde. Des lumières voletaient dans l'obscurité sur les chemins qui menaient vers le village. Des cloches appelaient pour l'office, métalliques dans l'air froid, sans odeur. Quelques flocons de neige papillonnèrent, une poule d'eau chanta dans le ruisseau aux nénuphars, un cheval hennit très loin, là-bas, au-delà du village. Daniel ferma un instant les yeux, les rouvrit. Oublie-rait-il jamais ces moments ? Il chassa la pensée de son père et de sa mère. D'ailleurs, depuis quelques jours, il se refusait à eux, leur silence lui étant devenu insupportable. Inconsciemment, il leur en voulait, ne les comprenait pas, les rejetait.

A l'approche du village, la neige tomba plus fort. Il ne se souvenait pas d'une telle tempête.

— C'est une vraie nuit de Noël, dit Baptiste qui arrêta la charrette sous un platane, puis aida les enfants à descendre.

Dans l'église, ils trouvèrent de la place à quelques rangées du chœur. Celui-ci resplendissait de lumière, d'ors et de soies. L'harmonium se mit à jouer, des chants montèrent vers les voûtes qui les répercutèrent en les amplifiant. Indifférente, Lisa s'assit par terre, le dos appuyé contre sa chaise et regarda Daniel.

— Assieds-toi, dit Rose.

Mais la petite n'obéit pas.

— Qu'est-ce que tu veux ? chuchota Daniel.

Comme elle ne réagissait pas, il reporta son attention sur le curé vêtu de surplis blancs et dorés. Les chants et les lumières formaient autour de Daniel une ronde colorée que la solennité des lieux embellissait. Des images indistinctes surgirent en lui, mais s'éteignirent très vite. Il songea confusément qu'il n'y avait jamais eu d'« avant », qu'il était né ici, dans ce village. Rose lui fit signe de s'asseoir. Le curé monta en chaire, parla de l'enfant de Dieu né lors d'une nuit semblable, de Joseph et de Marie, ses parents ; des Rois mages annonçant la nouvelle en Galilée. Tout cela se confondit un peu dans la tête de Daniel qui s'assoupit.

Il reprit conscience au moment où la voix du curé invitait à prier pour les déshérités, les malades, ceux qui étaient séparés de leur famille, ceux qui ne pouvaient assister à la messe de minuit et qui vivaient très loin, à l'étranger, en mer ou ailleurs. Le mot « mer » surprit Daniel. Il sentit se réveiller une blessure, eut du mal à respirer. Il ne vit plus rien tout à coup, cria très fort en lui-même : « Écrivez-moi ! Pourquoi n'écrivez-vous pas ? » Quand il rouvrit les yeux, Lisa le regardait bizarrement. Il sourit, se leva, murmura encore tout bas : « Écrivez vite, même si vous ne voulez pas revenir, écrivez-moi ! » Il passa le reste du temps à imaginer l'arrivée du facteur, le lendemain, et la lettre qu'il sortirait de sa sacoche, car il lui parut impossible que sa prière en de tels lieux ne fût pas exaucée. Et son espoir crût jusqu'à la fin de la messe, si bien qu'au moment où, accompagné par les chants, il quitta sa place pour sortir, il en avait acquis la certitude.

Dehors, dans la nuit, tout était blanc, mais il ne neigeait plus. Rose monta sur la charrette avec Lisa et les autres femmes qui souhaitèrent rentrer ensemble. Daniel se retrouva seul avec Baptiste sur la deuxième charrette qui cahotait entre les masses noires des haies et les troncs griffus des pruniers. Le vent était tombé. Le gel durcissait les cailloux du chemin qui, sous la neige, crissaient au contact des roues. Il se blottit contre Baptiste, respira son odeur de laine et de paille, murmura :

— Demain, j'aurai une lettre, Baptiste.

— Ah ! fit ce dernier, et qui te l'a dit ?

— Personne, je le sais.

Baptiste tira sur les rênes, arrêta la charrette entre deux prés où dormaient des brouillards laiteux. Il fit lever la tête à Daniel, murmura :

— Regarde !

Un éclat de miroir montait de la terre et se réverbérait sur le métal du ciel. Les étoiles ne clignotaient pas et semblaient des cristaux illuminés par de mystérieux foyers lunaires.

— Regarde bien ! fit Baptiste. Tu les vois ?

— Quoi ?

— Les chemins.

— Non, je ne vois rien.

— Mais si ! Regarde bien, là !

Baptiste désignait du doigt, sous la Balance, une succession d'étoiles dont la dernière était toute proche du Sagittaire.

— Je ne vois pas très bien.

— C'est parce que tu les regardes pas assez. Il y en a beaucoup, là, là et là encore.

Daniel réfléchit en silence, demanda :

— Si ce sont vraiment des chemins, où vont-ils ?

Baptiste feignit d'être surpris.

— Comment ça, où vont-ils ?

— Où mènent-ils, quoi ?

— Ma foi, fit Baptiste.

Et il ajouta, dans un souffle :

— On dit qu'ils guident les âmes pour qu'elles ne se perdent pas en route. C'est tellement grand, tu comprends ?

Daniel hocha la tête.

— On dit aussi que plus on regarde les étoiles d'en bas, plus on les connaît, et moins on a de risque de se perdre quand on est mort. Enfin, moi, c'est ce que je crois. Pas toi ?

Daniel, préoccupé, ne répondit pas.

— Montre-m'en une autre, dit-il enfin.

Baptiste l'attira contre lui, désigna, au-dessus d'Orion, six étoiles qui étaient disposées en triangle dont le dernier s'ouvrait sur la constellation du Lièvre.

— Tiens, en voilà un autre, fit-il.

Il ajouta, le temps de s'orienter :

— Ces étoiles-là appartiennent à l'Horloge. Après, le chemin continue vers le Toucan et remonte vers la constellation du Paon ; tu le vois ?

— Je le vois, dit Daniel.

— A la bonne heure ! Si tu les regardes souvent, bientôt tu les connaîtras tous.

— Tu crois?

— J'en suis sûr.

Ils repartirent. Le cheval hennit puis broncha.

— Là, fit Baptiste, là...

Les cloches égrenèrent quelques notes claires puis s'éteignirent.

— Demain, fit Baptiste, tu auras ta lettre.

Daniel hocha la tête. Il aurait voulu que ce trajet en compagnie du grand-père ne se termine jamais. Comme si celui-ci l'avait compris, il arrêta de nouveau la charrette à quelques centaines de mètres du Verdier, après avoir tourné à droite.

— On se croirait en plein jour, murmura-t-il.

Puis, après un soupir, d'une voix très douce :

— Il faut que je te dise autre chose, mon petit.

L'enfant attendit, retenant son souffle et se demandant de quels autres chemins allait parler le grand-père.

— C'est peut-être la dernière nuit de Noël que je passe avec toi.

Baptiste soupira encore, reprit :

— Je me fais vieux, tu sais, et mon cœur est malade. J'aurai sûrement bientôt besoin de les reconnaître, tous ces chemins.

Daniel voulut répondre mais ne trouva pas les mots. Il se dit que Baptiste avait un peu trop bu, que les larmes au coin de ses yeux étaient dues au froid.

— Vois-tu, poursuivit Baptiste, ce qui me fera peine, ce sera de laisser Lisa seule avec Rose et son père, surtout quand la Julia m'aura rejoint.

Daniel ne savait plus quoi penser. Fallait-il protester, ou fallait-il feindre de ne pas entendre ? Baptiste lui caressa les cheveux, ajouta :

— Quand tes parents seront revenus — parce qu'ils vont revenir, mon gars —, il faudra l'emmener avec toi.

Il avait parlé très vite, comme s'il avait honte.

— Elle ne saura pas la défendre, Rose, précisa-t-il. Daniel comprit qu'il devait entrer dans le jeu et le rassurer.

— On emmènera Rose aussi, dit-il.

Il y eut un long silence. Le grand-père posa les rênes sur ses genoux, prit les mains de l'enfant, les serra puis, brusquement dégrisé, se redressa après un soupir.

— Hue ! dit-il d'une voix plus ferme.

A l'approche du Verdier, les brouillards parurent se diluer à même la terre. La cour surgit de la nuit, accueillante avec son liséré de lumière. Il fallut dételer, bouchonner le cheval. Le grand-père et l'enfant ne prononcèrent pas un mot jusqu'au moment où ils entrèrent dans la cuisine où un grand feu flambait dans l'âtre. Ils se réchauffèrent les mains aux landiers de fonte. Déjà les femmes mettaient les couverts sur la table où fumait la soupe aux oignons frits. Daniel, qui n'avait pas faim et tombait de fatigue, mangea cependant de bon appétit, y compris la cuisse de canard que Baptiste posa d'autorité dans son assiette. Très vite, toutes les formes devinrent floues autour de lui. Un peu plus tard, il se rendit à peine compte que Rose et Baptiste l'emportaient vers la grange où, déposé sur la paille, il s'endormit aussitôt.

Le lendemain, ni le bruit du tabouret déplacé par Alphonse ni le cliquetis des chaînes des vaches ne purent le réveiller. Il fallut que Baptiste vienne lui secouer l'épaule en disant :

— Le Père Noël est passé, il y a quelque chose pour toi.

Daniel, aussitôt debout, courut vers la maison où Julia et Rose, souriantes, l'attendaient. Lisa se trouvait là elle aussi, et tournait la tête de droite à gauche et de gauche à droite dans un état d'excitation extrême. Daniel s'approcha. Entre la crèche et l'âtre, quatre sabots, deux rouges et deux verts, luisaient dans la lumière.

— Les verts sont pour toi, fit Baptiste en s'approchant, et les rouges pour la petite.

Daniel n'osa les prendre, se retourna.

— Prends ! dit Julia. Tu es devenu un vrai petit de chez nous, maintenant. Ils remplaceront tes mauvaises galoches.

Il hésita encore un instant, puis il s'agenouilla, en prit un, examina la peinture laquée
qui brillait, les petits œillets rouges et la bande
de cuir noir destinée à protéger le dessus du
pied.

— Regarde à l'intérieur, dit Julia. Je crois
savoir qu'ils ne sont pas vides ou alors le Père
Noël aurait bien changé.

L'enfant glissa une main dans le sabot, rencontra un objet dur, le retira. Un beau couteau
apparut, d'un jaune clair, avec trois lames et un
tire-bouchon. Il ne savait comment remercier,
tellement il était ému.

— Regarde dans l'autre, fit Baptiste, mais
prends garde à ne rien déchirer.

Daniel introduisit sa main dans le sabot de
gauche, toucha du papier, retira une enveloppe
bleue sur laquelle était écrit son nom. Dès l'instant où il comprit qu'il s'agissait bien de la lettre
attendue, ses doigts se mirent à trembler. Dans
son impatience à l'ouvrir, il ne se rendit même
pas compte que l'écriture lui était inconnue. Il
faillit déchirer le papier, et Baptiste dut glisser
la lame de son couteau sous le liséré de l'enveloppe. L'ayant ouverte, il la lui rendit avec un
grand sourire. Oppressé, Daniel s'assit sur le
banc, face à Julia, son cœur cognant dans sa poitrine. Il retint son souffle en commençant sa lecture :

Mon enfant,

Tu ne reconnaîtras pas l'écriture de tes chers parents, car là où ils se trouvent ils ne peuvent écrire de lettres. Ils m'ont chargé de le faire à leur place pour te dire qu'ils vont bien et qu'ils pensent beaucoup à toi. Ils reviendront dès qu'ils le pourront et ce jour n'est pas loin. Ils te demandent d'être bien sage et aussi très prudent. Transmets toutes leurs amitiés à tous ceux de la famille qui prend si bien soin de toi, et pense très fort à eux chaque fois que tu le peux. Je t'embrasse pour eux qui te disent à bientôt.

La signature était illisible.

Daniel releva la tête, les yeux illuminés.

— Alors ? fit Julia.

Il n'eut pas la force de lire à voix haute, lui tendit la lettre. Elle lut d'une voix grave, avec des intonations, tout en le dévisageant entre chaque phrase pour le prendre à témoin du merveilleux exprimé par les mots.

— Eh bien ! tu l'as enfin reçue cette lettre ! fit-elle en la lui rendant ; tu vois, il ne servait à rien de s'inquiéter !

Délivré du poids qui l'oppressait depuis de longs mois, Daniel se demandait tout de même qui était cet homme — ou cette femme —, dont il ne connaissait pas l'écriture.

— Qui ça peut être ? fit-il à mi-voix, mais sans perdre son sourire.

— Qu'importe! fit Julia, l'essentiel est de savoir qu'ils sont en bonne santé et qu'ils reviendront bientôt.

Le regard de Daniel rencontra celui de Baptiste. Le grand-père le soutint un instant, puis il détourna la tête et feignit de s'intéresser aux sabots.

— Passe-les donc aux pieds, dit-il. Savoir s'ils vont t'aller?

L'enfant plia la lettre, la glissa avec précaution dans sa poche et reporta son attention sur les sabots verts. Il enleva rapidement ses galoches, chaussa le pied droit, puis le gauche, fit quelques pas, s'arrêta.

— Peut-être un peu grands, dit Julia, mais il vaut mieux. Baptiste va te les remplir de paille, tu verras comme on y est bien.

Rose aida Lisa à chausser les siens, car elle poussait de petits cris d'impatience, tandis que Daniel s'intéressait maintenant au couteau dont il faisait jouer les lames parfaitement aiguisées.

— Fais attention de ne pas te couper un doigt, dit Julia.

Il les referma, enfouit le couteau dans sa poche où ses doigts reconnurent la lettre. Il y eut un bref silence, puis l'enfant murmura :

— Merci.

— A qui dis-tu merci? demanda Baptiste. C'est le Père Noël qu'il faut remercier.

Et, comme Daniel marquait de l'incrédulité :

— Pas pour la lettre, bien sûr, elle est arrivée hier, mais on a préféré la mettre dans les sabots. On a eu raison, pas vrai ?

Daniel approuva de la tête puis, dans un élan, il embrassa tour à tour Julia, Rose et Baptiste.

— Va vite les essayer, fit Julia, je suis sûre qu'il te tarde de les avoir aux pieds.

Prenant Lisa par la main, il suivit Baptiste, qui, une fois dans la grange, confectionna un lit de paille dans les sabots. Il aida ensuite les deux enfants à se déchausser et à les enfiler.

— Allez donc passer vos manteaux et vos cache-nez à la maison, dit-il, après vous pourrez vous promener un peu.

Cinq minutes plus tard, Daniel entraînait Lisa sur le chemin couvert de neige. Ils s'appliquèrent à marcher un long moment, tête baissée, avec des gestes maladroits et des glissades difficilement contrôlées. La vapeur blanche qui sortait de leur bouche amusait beaucoup Lisa. Elle se laissait tirer, trébuchait parfois, s'arrêtait, repartait, mais de plus en plus lentement. Au bout de deux cents mètres, il fallut faire demi-tour, car les sabots les blessaient l'un et l'autre aux chevilles.

Au Verdier, ils se réfugièrent dans la grange et s'en débarrassèrent, certains de n'être vus de personnes. Assis côte à côte sur la paille, ils restèrent un moment silencieux, puis Daniel sortit de sa poche la lettre dont, brusquement, il venait de se souvenir. Intriguée, la petite se pencha vers lui. Il lui dit sur le ton de la confidence :

— Ils ont écrit, Lisa. Bientôt, ils seront là et on partira.

Il la prit par les épaules, planta son regard dans le sien. Bouche ouverte, elle ne cillait pas, respirait à peine, écoutait, accrochée à lui comme à une bouée en pleine mer.

— Tu entends ? Ils vont revenir. On ira dans la ville où je suis né, là-bas, très loin. C'est un pays plein de forêts, de montagnes vertes et de nuages dans le ciel. La guerre sera finie. On s'installera dans la petite maison aux rideaux rouges. Ma mère jouera du piano. Tu verras comme elle joue bien du piano ! On s'assoira à côté d'elle sur les fauteuils de velours et on regardera ses doigts, si longs, si fins qu'ils courent sur les touches blanches sans jamais s'arrêter. Et on n'aura plus peur, Lisa, plus jamais peur. On ira se promener au Kindergarten, dans le parc où il y a des balançoires et de grands cygnes blancs, on mangera du chocolat et des beignets frits.

Il se tut brusquement, un souvenir ayant surgi de sa mémoire, si net, si précis que le temps lui sembla aboli : un jour, il avait laissé tomber un beignet juste après que sa mère le lui eut acheté. Elle n'avait rien dit, lui avait pris la main, était aussitôt retournée chez le marchand, un gros homme roux aux yeux trop petits et aux moustaches relevées aux extrémités. Pourquoi, ce matin, un tel souvenir ? Une image ? Une odeur ? Il se rappela soudain que la peinture verte sur l'étal du marchand était identique à celle des sabots.

La petite le tira par le bras, exigeant les mots qui l'enchantaient.

— C'est la même peinture et la même odeur, Lisa, tu comprends ?

— Ivi, fit la petite.

— En sortant du jardin, reprit-il, on trouvait parfois des manèges. Tu sais, de ces manèges de chevaux de bois qui montent et qui descendent le long d'une barre dorée. On montera dessus tous les deux. Tu verras, tu n'auras plus peur.

Repris par ses souvenirs, il se tut quelques secondes, mais Lisa lui serra le bras, l'invitant à poursuivre :

— Le dimanche on ira sur le lac. Il est tellement grand qu'on n'en voit pas la fin, sauf quand il y a de la neige à l'autre bout, sur les collines où poussent des sapins bleus. C'est un lac qui est couvert d'oiseaux. Ils nichent au milieu, dans des prés de roseaux. Le jour, ils tournent dans les nuages avec leurs grands yeux qui voient par-dessus les montagnes. Sur la rive droite, sous les arbres, il y a une cabane où l'on peut faire du feu. C'est là qu'on mangera. Et l'après-midi, on montera sur la barque qui nous emportera jusqu'à la nuit. On reviendra seulement avec les étoiles, et Baptiste sera avec nous. Il nous montrera le Chariot, le Bouvier et les chemins qu'il connaît. Il ne faudra pas avoir peur...

Une voix appela dans la cour, les faisant sursauter l'un et l'autre. C'était Rose qui s'inquiétait de ne pas les voir revenir. Ils enfilèrent vite leurs sabots et sortirent, éblouis par l'éclat de la neige sous le soleil qui avait percé les nuages.

— Ah! vous voilà, dit Rose, venez donc vous réchauffer un peu, dehors il fait vraiment trop froid.

En s'appliquant à marcher droit, Daniel traîna Lisa vers la maison où ils s'installèrent près du feu, face à Julia, sans quitter leurs sabots. Baptiste entra peu après et proposa à l'enfant une partie de dominos. Ils commencèrent à jouer en silence, Lisa assise à table à côté d'eux. Daniel, rêveur, se mit à déplacer négligemment les pions de sa main droite tandis que la gauche, au fond de sa poche, se refermait sur la lettre sacrée dont les mots tournoyaient devant ses yeux mi-clos.

5

Une quinzaine de jours suffirent à Daniel pour s'habituer aux sabots qu'il portait maintenant avec fierté. Il avait repris l'école, car Baptiste et Alphonse pouvaient se passer de lui à la ferme où ils s'occupaient seulement des clôtures et des fossés. Au Verdier, chacun semblait attendre avec impatience le jour où l'on tuerait le cochon. Julia en avait fixé la date à un jeudi, afin que Daniel fût présent pour la fête.

Ce matin-là, de bonne heure, toute la famille se retrouva sous la remise, à l'exception bien sûr de Julia. L'ami d'Alphonse, Émile, faisait office de « tueur ». Il était arrivé une demi-heure plus tôt muni de ses couteaux et de ses hachoirs, avait donné des instructions d'un air supérieur, surveillé les opérations dans la soue sans daigner intervenir, Rose, Baptiste et Alphonse avaient entravé le cochon dont les hurlements avaient provoqué la fuite de Lisa et Daniel.

Quand ceux-ci retournèrent dans la remise,

une fois le silence revenu, le cochon était suspendu par les pieds à un palan, la tête en bas, une bassine pleine de sang moussant près de son museau. Lisa, inquiète, fronçait les sourcils et s'accrochait au bras de Daniel. Rose apporta une bassine d'eau bouillante dont Alphonse jeta le contenu à plusieurs reprises sur l'animal. Ensuite, Émile, armé d'un grand couteau, se mit à racler les poils blancs et les rassembla dans une casserole. Puis Baptiste et Alphonse tirèrent chacun d'un côté les pattes du haut, tandis qu'Émile ouvrait en deux l'animal avec un hachoir. Les entrailles chaudes tombèrent d'elles-mêmes dans une bassine et il fallut éloigner les chiens attirés par l'odeur. Daniel recula de quelques mètres en entraînant Lisa. Il ne s'habituait décidément pas à la cruauté des gens de la campagne envers les bêtes. Il ne comprenait pas comment des êtres aussi bons que Rose ou que Baptiste pouvaient tuer avec cette insensibilité. Cette idée le gênait, car elle maintenait entre eux une ultime barrière dont il se demandait si elle tomberait un jour.

Il aida tout de même à transporter les chaudrons et les casseroles dans la cuisine où Rose et Baptiste, assistés par Marthe venue « donner la main », commencèrent à confectionner les pâtés, les saucisses, les rôtis et les boudins en écoutant les conseils attentifs de Julia. Daniel ayant compris que le sang introduit dans les boyaux était destiné à être mangé, une nausée lui souleva le cœur. Cette nourriture « impure » lui rappela qui il était et, fermant les yeux, il revit un instant le pain au cumin, les olives, les harengs de la table familiale. Pourquoi fallait-il qu'il se sentît si loin, en cet instant, de Rose et de Julia ? Mécontent de lui, il marcha vers la porte et jeta le *Aoutchi* traditionnel aux chiens qui déguerpirent. Puis il se lava les mains à l'eau de la « couade » et murmura le *per oquo* favori de Baptiste.

Toute la journée il s'efforça de s'initier aux préparations savantes des femmes, portant une assiette, une casserole, nettoyant un chaudron, surveillant la grande marmite où fondaient les rillettes dans un parfum de poivre chaud. Le soir, un festin réunit tous les participants, après que Rose eut porté les boudins chauds à Maurice et Adélaïde, comme c'était la coutume. Si Daniel refusa d'en manger, il accepta cependant les rillettes et les saucisses qui lui parurent moins sacrilèges. Plus tard, l'estomac douloureux, il s'en fut se coucher avec une folle envie de vomir, mais un sommeil de plomb l'en délivra en moins de cinq minutes.

Le lendemain, il fit très froid. La neige de Noël avait fondu depuis longtemps et le vent du nord, qui s'était levé depuis peu, avait balayé les nuages. Désormais le gel tapissait les murs d'acier bleuté et, la journée, les faibles rayons du soleil tardaient à faire fondre la glace des flaques d'eau. Le nez et les oreilles mordus par le froid, Daniel s'amusait à glisser sur les ornières du chemin et courait pour se réchauffer en allant à l'école.

A midi, ce jour-là, lorsqu'il rentra, ni Baptiste ni Alphonse n'étaient encore à table, ce dont se plaignait Rose, car le dîner refroidissait. Alphonse ne se fit pas attendre longtemps, mais il arriva seul. Il s'étonna de ne pas trouver Baptiste, l'ayant laissé une heure auparavant dans le pré de la Croix-Blanche où il devait finir de planter des piquets.

— Vous auriez bien pu l'attendre, tout de même, dit Julia; je me demande bien ce qui pressait tant.

Alphonse haussa les épaules, rétorqua :

— Pour quatre piquets à planter, vous n'allez pas en faire un drame ! D'ailleurs, je l'entends qui arrive.

Chacun tendit l'oreille, mais c'était seulement le vent dans les volets. Comme Rose posait la soupière sur la table, Lisa se mit à pleurer, la tête penchée sur son assiette.

— Qu'est-ce qu'elle a, celle-là, encore ? grogna Alphonse.

— Laisse-la, dit Rose, ça va passer si on la regarde pas.

Quelques minutes s'égrenèrent, et Lisa pleurait toujours.

— Il faut aller voir, dit Julia, c'est pas dans ses habitudes de n'être pas à l'heure.

Alphonse, de nouveau, haussa les épaules, mais il ne bougea pas. Les sanglots de Lisa redoublèrent.

— J'y vais, dit Daniel, se levant brusquement.

— Nom de Dieu ! grommela Alphonse, on peut jamais être tranquille ici.

Daniel, debout devant la porte, hésita à enfiler sa veste, mais le regard de Julia l'y encouragea. Alphonse, pas fâché de rester au chaud, se mit à couper du pain et posa une tranche près de chaque assiette. Daniel boutonna sa veste, sortit, et se lança en courant sur le chemin, ses sabots cognant fort sur les pierres gelées. Il tourna à gauche, appela, puis s'arrêta pour écouter, persuadé que Baptiste allait apparaître au détour du chemin. Seul le vent prisonnier dans les branches des pruniers lui répondit. Un peu plus loin, des alouettes s'envolèrent et se laissèrent emporter vers les bras morts pris par les glaces de la rivière. Au-dessus d'elles, une nappe métallique ondulait sous les rafales de vent. Un grand corbeau lança son cri tourmenté, puis s'abattit sur le champ de maïs dont les moignons terreux se balançaient en chuchotant.

L'enfant traversa un pré d'où fusa une bécassine, arriva près de la grande haie qu'il longea en courant. De l'autre côté, il ne vit rien, ni homme ni bête, et fut surpris de ne pas entendre les coups de masse de Baptiste sur les piquets. Il parcourut du regard la lisière opposée du pré, aperçut des piquets debout, d'autres à terre et, entre eux, une vague forme allongée sur l'herbe. Il fit un pas, s'arrêta un instant, puis s'obligea à avancer. Parvenu à quelques mètres du corps, il s'arrêta encore, appela :

— Baptiste... Baptiste !

Nul ne lui répondit. Il s'approcha à moins d'un mètre.

— Baptiste, murmura-t-il, mais si faiblement qu'il entendit à peine sa voix.

Un grand froid se posa sur lui, le faisant frissonner. Il s'agenouilla, posa sa main sur l'épaule de l'homme qui lui tournait le dos. Il n'osait se pencher en avant ni tirer le corps en arrière. Un souffle de vent fit se soulever une mèche de cheveux blancs et jouer le col de la veste.

— Il faut venir, Baptiste, dit Daniel qui se refusait à l'évidence.

Et, avec une voix qui s'étrangla sur le dernier mot :

— Tout le monde t'attend pour manger.

Le vent tomba d'un coup. Pendant quelques secondes, un grand silence régna. Ce n'était plus la peur qui étreignait Daniel, mais l'impression d'une insondable solitude. Aussi tira-t-il de toutes ses forces l'épaule droite arrière. Baptiste se renversa sur le dos, tête nue, et l'enfant, qui n'avait jamais vu de mort de si près, se demanda ce que regardait le grand-père, là-haut dans le ciel. Le bleu de ses yeux paraissait plus clair encore, mais la lumière qui y brillait d'ordinaire s'était éteinte. Ce fut à ce signe qu'il comprit que Baptiste était mort. Seul et désespéré, Daniel ne savait ce qu'il devait faire. Il lui sembla que le grand-père avait froid. Dans un mouvement de protection dérisoire, il s'allongea contre lui et ne bougea plus.

Ce fut Alphonse qui les trouva un quart d'heure plus tard. Il aida Daniel à se relever, le garda un moment contre lui, puis il s'agenouilla et passa furtivement sa main sur les yeux du grand-père pour fermer les paupières. Quand il se redressa, il tremblait.

— C'est de ma faute, murmura-t-il, c'est de ma faute.

Daniel n'eut pas la force de parler.

— Le pauvre, dit encore Alphonse, le pauvre vieux, tout de même.

Puis après un long soupir :

— Il faut aller chercher la charrette ; on n'arrivera pas à le porter à deux, c'est trop loin.

Après un dernier regard pour Baptiste, Daniel suivit Alphonse qui s'était mis en route. A cinquante mètres de là, celui-ci ralentit sa marche et resta à la hauteur de l'enfant. Une fois sur le chemin, Daniel sentit une main contre son bras, s'écarta légèrement, mais Alphonse le prit par les épaules, le serra contre lui et, tout en continuant de marcher, murmura :

— Qu'est-ce qu'on va devenir, nous autres, maintenant ?

Julia n'avait pas eu la moindre plainte. A peine si elle s'était laissé aller quelques minutes, puis elle s'était ressaisie et avait demandé :

— Emmenez-moi dans la chambre avec lui.

Et, à Alphonse qui soupirait en répétant : « Si c'est pas malheureux tout de même, ce pauvre Baptiste » :

— Quant à vous, épargnez-moi vos grimaces ; rien de ce qui arrive aujourd'hui ne peut vous étonner !

Comme frappé par la foudre, Alphonse s'assit sur le banc et, la tête entre les mains, lança :

— Dites que je suis responsable tant que vous y êtes ! C'est ça ? C'est bien ce que vous voulez ?

— Je ne veux rien du tout, mon pauvre Alphonse. J'ai toujours essayé de vivre comme si vous n'étiez pas là ; c'était la seule manière de nous rendre l'existence supportable. Alors, aujourd'hui, je préfère vous voir et vous entendre le moins possible !

Alphonse se redressa un peu, souffla :

228

— Dites-le, que c'est à cause de moi qu'il est mort !

Julia le défia du regard, répondit :

— Je pense que vous ne l'avez pas aidé à guérir en tout cas ; et je préférerais que vous alliez prévenir Maurice et Adélaïde, ça m'éviterait de vous voir larmoyer. Mais, avant, portez-moi dans la chambre !

Alphonse se leva brusquement, saisit Rose par le bras au passage, la poussa vers la chaise, et tous deux transportèrent Julia dans la pièce où se trouvait le corps de Baptiste.

En moins d'une heure, les amis et les proches de la famille étaient arrivés les uns après les autres. Ce qui avait le plus étonné Daniel, c'était d'entendre parler les adultes à voix basse, comme si rôdait un ennemi invisible. On avait aussi fermé les volets et tout le monde se mouvait dans la pénombre, à l'exception d'Alphonse qui, dès l'arrivée de Marthe et Adélaïde, était parti sans un mot vers le village. Comme la petite ne cessait de pleurer, Rose avait demandé à Daniel de l'emmener. Ils étaient sortis dans la cour et, grelottant de peur et de froid, Daniel l'avait entraînée dans la grange, au milieu d'une allée, entre deux vaches dont la chaleur les avait réconfortés. Là, Daniel avait donné à Lisa un des tabourets de la traite et s'était assis face à elle en lui prenant les mains.

— Ne pleure plus, dit-il, ne pleure plus.

Lui-même se sentait soulagé d'avoir quitté le monde des adultes. C'était comme si l'espace où il se trouvait maintenant était protégé du malheur, comme si Baptiste n'était pas mort, comme si rien n'avait changé. Il se demanda vaguement s'il serait capable de revenir un jour vers la maison où les grandes personnes erraient comme des fantômes. Il chassa cette idée de son esprit, en revint à Lisa qui pleurait toujours.

— Faut pas pleurer, dit-il de nouveau, il ne se perdra pas, Baptiste.

Il chercha à capter l'attention de la petite en lui prenant le menton, mais en vain. Elle garda la tête obstinément baissée, incapable de l'entendre, plongée dans d'obscures pensées où rôdait sans doute la mort dont l'avait avertie son instinct.

— On va partir, dit-il.

Et, comme elle ne réagissait toujours pas :

— On va partir vers la mer en suivant la rivière.

Une lueur s'alluma dans les prunelles dorées de Lisa.

— Tu verras les vagues blanches et vertes, les goélands, les mouettes qui dansent dans le ciel, les poissons qui ont des ailes et même les baleines. Il y a toujours un petit près d'elles et on peut les entendre parler.

Il se tut un instant, vérifiant le pouvoir de ses mots sur Lisa, puis il reprit :

— On s'en ira le long de la rivière entre les prés et les forêts; la nuit, on dormira dans une cabane de branches et de feuilles; on mangera chez des gens qui ressemblent à Baptiste, Rose et Julia. Mais il faut construire un bateau, un vrai bateau qui nous emportera jusqu'à la grande mer et, là, on les retrouvera. Je suis sûr qu'ils sont cachés quelque part, sur une île d'où ils ne peuvent pas écrire. Ils ont construit une maison dans les bananiers, ils dorment sur des lits de fougères et ils nous attendent. Tu verras, tu les reconnaîtras tout de suite. Elle a des cheveux noirs et de grands yeux, lui il parle en riant et ses mains ont la couleur des pêches...

Lisa ne pleurait plus. Seuls quelques sanglots nerveux la faisaient sursauter par instants.

— Viens! dit-il, malgré l'envie qu'il avait de rester au chaud, à l'abri du vent.

Ils sortirent.

— Ce sera un secret, fit Daniel en la tirant par la main. Il faudra le dire à personne.

La petite battit des paupières. Il l'entraîna sous la remise où, surveillant du coin de l'œil les alentours, il s'empara d'une scie, d'un marteau et de pointes. Chargés de ces trésors, ils retournèrent dans la grange, puis ils montèrent dans le grenier où souvent, la nuit, Daniel entendait courir les rats. Là, il fit asseoir Lisa face à lui : elle ne sanglotait plus et semblait, comme lui, avoir tout oublié de ce qui s'était passé au début de l'après-midi. Il rassembla quelques planches en disant :

— Il faut m'aider, Lisa.

Puis, comme elle le considérait avec gravité :

— Ce sera un immense bateau, tu verras, avec des voiles blanches et un grand gouvernail.

La petite parut comprendre, s'anima. Daniel commença à clouer des planches mais le bruit l'inquiéta : ne l'entendait-on pas de la maison ? Il écouta un moment : non, rien ne bougeait, on semblait les avoir oubliés. Il parvint à bâtir une petite surface censée être une partie de la cale, puis il s'arrêta pour contempler son œuvre avant de se remettre au travail. Lisa, subjuguée, ouvrait de grands yeux. « Un immense bateau, répétait-il par instants en se tournant vers elle, et je t'emmènerai avec Rose et Julia, on les retrouvera tous. »

Ils demeurèrent ainsi occupés pendant l'après-midi : il parlait en travaillant, expliquait comment on vivait sur un bateau et comment on se guidait sur les étoiles avec cet appareil qui s'appelait un sextant ; elle, fascinée, poussait de temps en temps des petits cris, touchait à tout, participait réellement à ces préparatifs dont elle semblait mesurer l'importance.

C'est à peine s'ils entendirent les appels de Rose dans la cour. Il fallut alors descendre très vite après avoir caché les outils, et retrouver le monde noir des grandes personnes. Aussitôt entrée dans la cuisine, Lisa se remit à pleurer. Daniel, assis près d'elle, perdit alors le fil des mots si facilement déroulé tout au long de l'après-midi. Après le rêve des dernières heures, ce brusque retour à la réalité le rendait à ses angoisses. Des personnes inconnues allaient et venaient sans paraître les voir, buvaient le verre de vin offert par Rose et repartaient, sinistres. Seules Louise et Adélaïde s'approchèrent d'eux et leur parlèrent pendant quelques minutes. Daniel remarqua que l'une et l'autre avaient les yeux rougis. Un peu plus tard, Maurice vint s'asseoir face à lui et dit :

— Tu l'aimais beaucoup, hein, mon gars ?

Cette question lui parut stupide, mais il hocha quand même la tête et il eut l'impression de faire plaisir à Maurice. Malgré tout ce qui se passait autour de lui, il lui semblait que Baptiste allait réapparaître d'un moment à l'autre, souriant, et l'emmener par la main dans les prés et les champs. Il se dit alors que si les gens parlaient bas, c'était pour ne pas réveiller le grand-père endormi.

Après la visite du curé, la cuisine se vida. Seuls restèrent au Verdier Louise, Adélaïde, Marthe, Maurice et Rose qui se lamentait en se demandant où était passé Alphonse.

— Ne t'inquiète pas, lui dit Adélaïde, il reviendra bien assez tôt.

Il revint seulement vers huit heures, au

233

moment où les enfants mangeaient un peu de soupe avant d'aller se coucher. Comme il tenait à peine debout, Maurice l'emmena dans la grange où il s'écroula, bouche ouverte, les bras en croix. Pour ne pas se retrouver en sa présence, Daniel, sur la demande de Rose, accepta de rejoindre Julia. Une fois dans la chambre à peine éclairée par la lueur d'une petite bougie, il vint se placer à côté de la grand-mère qui le prit par les épaules et murmura :

— Le pauvre ! Regarde comme il est beau !

Il fit « oui » de la tête, cherchant ce qu'il y avait de différent sur le visage de Baptiste, excepté les yeux clos. Il remarqua la rareté des cheveux, l'épaisseur des lèvres, l'impression d'une grande paix et surtout l'absence de ce rictus que lui arrachaient de temps en temps ses hanches douloureuses.

« Il n'a plus mal », se dit Daniel ; et cette idée lui fit du bien.

— Tu peux l'embrasser si tu veux, souffla Julia.

Il eut un sursaut, recula d'un pas.

— Tu n'es pas obligé, va, souffla-t-elle.

Il se laissa aller contre la grand-mère qui lui caressa furtivement les cheveux.

— Sois tranquille, dit-elle, cette nuit, tu dormiras avec la petite ; d'ailleurs, elle ne voudra pas rester seule.

Il demeura encore un moment près de Julia

234

qui murmurait maintenant d'une voix méconnaissable :

— Pauvre homme... Pauvre homme.

Il n'osait bouger, ni se retourner, se sentait incapable de l'aider, et il souffrait comme elle devant ce corps que la mort avait pris.

— Allez, mon petit, dit-elle enfin, va dormir, tu dois en avoir besoin.

Il se retourna alors, hésita, murmura :

— Tu sais, Julia...

Elle lui caressa la joue, souffla :

— Va, mon petit, va.

Il sortit, malheureux de n'avoir pas su lui dire ce qu'il éprouvait vraiment, de ne lui être d'aucun secours.

Le lendemain, le temps parut s'arrêter et les grandes personnes vivre dans un demi-sommeil. Après avoir cherché les planches sous le regard suspicieux d'Alphonse, il emmena Lisa dans le grenier. Le soir, Julia lui demanda s'il voulait assister à l'enterrement. Comme il n'était, bien sûr, pas question qu'elle-même s'y rende, elle garderait Lisa pendant ce temps. Il sembla à Daniel que la grand-mère espérait le voir accepter, comme si, grâce à lui, elle eût aussi accompagné Baptiste. Il suivit donc le corbillard sur la route du petit cimetière en donnant la main à Rose. Entouré de tous ces gens vêtus de noir, il se sentait très mal et se demandait ce qu'on allait faire à Baptiste. A l'église, tout se passa bien : il s'évertua à imiter Rose, mais il pensa surtout à Julia et à Lisa. Une fois dans le petit cimetière où des mésanges bleues voletaient dans les allées, quand il comprit qu'on allait mettre le cercueil dans la terre, il retint un cri. Comment Baptiste pourrait-il monter dans le ciel si on l'enfermait ainsi ? Il voulut intervenir auprès de Rose, l'appela avec angoisse :

— Rose... Rose.

Mais celle-ci, murée dans son chagrin, ne l'entendit pas. Quant à Louise ou Adélaïde, elles se trouvaient trop loin. Alors, n'y tenant plus et profitant du fait que nul ne s'intéressait à lui, il partit à toutes jambes vers le Verdier où il arriva à bout de souffle, en larmes, incapable d'expliquer à Julia pourquoi il s'était enfui.

— Là... là..., dit-elle. Je suis là, mon petit, je suis là...

Et, Lisa d'un côté et lui de l'autre, les serrant très fort dans ses bras, elle se mit à leur parler doucement de celui qui était parti à jamais.

Il dut prendre la place de Baptiste et travailler deux fois plus, surtout lors de la traite des vaches. Rose y participait, elle aussi, mais son manque d'habitude irritait Alphonse. Chaque soir, il partait pour le village et rentrait saoul. Au lieu d'une place vide à table, il y en avait deux, ce qui rendait l'absence de Baptiste plus douloureuse encore. Les deux femmes essayaient de faire front contre Alphonse, et Daniel les y aidait de son mieux. Aussi Alphonse devenait-il de plus en plus menaçant envers l'enfant qui, en ce début de février, manquait souvent l'école. Ces absences prolongées provoquèrent la visite de M. Farges un soir où Alphonse, comme de coutume, était absent. Ce soir-là, au Verdier, on mangeait la soupe, quand, entre les rafales de pluie glacée et les mugissements du vent contre les volets, on entendit frapper à la porte.

— Entrez, dit Julia après avoir interrogé Rose du regard.

Le maître d'école apparut, s'immobilisa sur le seuil. Julia n'eut pas l'air surprise :

— Finissez d'entrer, monsieur Farges, dit-elle, ne restez pas dans le courant d'air.

Rose s'était levée, lui désignait une place près du feu, tandis que Daniel, mal à l'aise, tentait de se dissimuler dans l'ombre. Le maître accepta un verre de vin chaud et parla du temps, des gens de connaissance, demanda des nouvelles de chacun, avant d'en venir au but de sa visite.

— Je ne vois plus beaucoup le petit, fit-il en s'adressant à Julia.

Et, sans lui laisser le temps de répondre :

— C'est dommage, vous savez ; il apprenait bien et je suis sûr qu'il aurait pu aller loin.

La grand-mère hocha la tête d'un air convaincu, répondit après un soupir :

— Vous connaissez notre malheur ; comment voulez-vous que nous fassions ? C'est qu'il nous manque deux bras, et deux bras qui étaient habitués au travail, savez-vous ?

— Je sais, je sais, fit le maître. D'ailleurs, à ce propos, je voulais vous dire, Julia, combien je partage votre peine. Je le connaissais bien, Baptiste ; il m'avait emprunté des livres, notamment un atlas et le seul livre d'astronomie que nous possédions, et j'ai beaucoup parlé avec lui... C'était un homme... comment vous dire ? Il rêvait beaucoup, et ce n'est pas si fréquent par chez nous.

Julia approuva avec un faible sourire. Il y eut un instant de silence, puis le maître ajouta :

— Vous savez, pour le petit, je comprends. Essayez de l'envoyer quand même le plus possible ; s'il arrive en retard, ça n'a pas d'importance, je m'occuperai de lui.

— Je vous remercie, c'est bien aimable à vous, fit Julia.

— Et puis, poursuivit le maître après un petit signe de la main, si vous avez des problèmes avec...

Il hésita, buta sur les mots.

— Avec mon gendre ? demanda Julia.

Le maître, gêné, s'éclaircit la gorge.

— Ne m'en veuillez pas, mais les gens

parlent au village et tout le monde connaît Alphonse : il est souvent au café... Eh bien, faites-moi prévenir par le petit, j'arrangerai ça avec le maire.

— Vous savez, répondit Julia, au Verdier on a l'habitude de régler nos affaires entre nous.

— Oui, bien sûr, mais maintenant vous êtes deux femmes pour vous occuper de deux enfants, et il essaiera sûrement de profiter de la situation...

Daniel, muet, n'avait qu'une peur : c'était d'entendre arriver Alphonse, et il sentait que Rose, comme Julia, le redoutait aussi.

— Je vous remercie, dit Julia, si c'est vraiment nécessaire, je ne manquerai pas de vous avertir.

L'instituteur acheva son verre de vin chaud, leur serra la main, et Daniel le vit ouvrir la porte avec soulagement. Ils restèrent silencieux un long moment, retenant leur souffle de peur d'entendre Alphonse dans la cour, mais non : le vent accompagna un moment les pas du maître sur le chemin puis les emporta.

A partir de ce jour, Rose le réveilla plus tôt le matin et il put se rendre à l'école même avec du retard, après avoir trait les vaches. Il dut renoncer à l'étude du soir et à la lecture, mais il suivit au moins les cours à peu près normalement. Sa présence au Verdier fut très profitable à Julia qui, après avoir fait face au malheur, maintenant dépérissait. Une sorte de mélancolie semblait consumer son courage. Elle ne cessait de parler du passé, de Baptiste, se complaisait dans la nostalgie et se refusait de plus en plus à défendre la place qu'elle occupait avant la mort de son mari. Daniel sentait cela et en souffrait. Un jeudi matin où Rose avait emmené Lisa au village, il se retrouva seul avec la grand-mère qu'il vit pleurer pour la première fois.

— Il ne faut pas, Julia, dit-il en s'approchant d'elle. Regarde ! Je suis là, moi.

— Je sais, mon petit, ne fais pas attention, tout ça n'est pas grave.

Il s'assit face à elle, se forçant à sourire.

— Tu comprends, dit-elle, c'est comme si je revivais tous les moments de notre vie. Ils passent et repassent dans ma tête sans que je puisse m'en défendre.

Et d'ajouter, après un silence, avec un air de fausse gaieté :

— Je ne peux pas arrêter de penser à ce premier jour où je l'ai vu.

Elle guetta une approbation, reprit après un sourire de l'enfant :

— C'était à la louée d'automne sur la place de Florac. Baptiste s'y trouvait aussi avec son père, un homme dur, autoritaire, qui portait des favoris et une blouse noire de paysan, comme c'était la coutume alors. Eh bien, j'ai senti tout de suite que Baptiste ne me regardait pas comme une servante. Pourtant, tu sais, j'avais sur le dos des frusques qui ne valaient pas trois sous, et on m'aurait fait l'aumône sur le parvis d'une église.

Elle rêva un moment, le regard tourné vers l'époque lointaine de sa jeunesse, poursuivit :

— Je me suis tout de suite sentie bien au Verdier, parce que je savais qu'il était là, tout près, et qu'il n'aurait jamais permis qu'on me fasse du mal. Et quand le père Lachaume est mort, Louis, qui était l'aîné, a voulu faire l'homme et a essayé de me bousculer un peu. Baptiste a compris très vite ce qui se passait : il a eu une explication avec son frère ; oh, pas vraiment une dispute, non, une simple explication, un soir. Le lendemain, c'était terminé : Louis est allé faire l'homme ailleurs. Du reste, il était souvent parti et c'était Baptiste qui assurait le plus gros du travail avec moi.

Julia sourit, demanda :

— Mais qu'est-ce que je te raconte là ? C'est si loin, tout ça !

— Continue, Julia ! Ça te fait du bien et j'aime t'entendre parler de lui.

Elle hocha la tête, le dévisagea sans vraiment le voir, murmura :

— De là à penser qu'il allait me proposer le mariage, il y avait un monde ! et pourtant il s'est décidé un matin en revenant des ruches ; j'étais dans la cuisine, il s'est approché derrière moi et il m'a dit sans même me prendre la main : « Si tu veux bien, on va se marier le plus vite possible. » Tu penses, si je voulais bien ! Et tu sais, il a pas perdu de temps : dans la même journée, il s'est occupé du maire, du curé et de tous les amis à inviter. C'était le mois de mai, il faisait beau, on a monté une table en plein air, on a dansé et on a chanté toute la nuit. Dès le lendemain, pourtant, il a fallu se remettre au travail. Ah ! ces journées qu'on faisait alors, de la pique du jour jusqu'à l'angélus ! Et on fanait ! et on semait ! et on moissonnait jusqu'à tomber de fatigue ! Mais on était contents parce qu'on était ensemble, tu comprends, et on ne voyait pas le temps passer. Si bien que moi, dès qu'on a eu quelques sous de côté, j'ai tout de suite voulu acheter des terres. Lui, il s'en moquait et il me disait : « On aura bien toujours assez pour travailler » ; mais moi, j'avais toujours ça dans la tête parce que j'avais peur de manquer : ça me venait de mon enfance, où je mangeais rarement à ma faim. Tout ça ne m'a pas porté bonheur et j'ai été bien punie...

Julia s'interrompit, eut une moue un peu triste, sembla puiser tout au fond d'elle :

— Le jour où c'est arrivé, il était à la foire. Quand il est revenu, le soir, que le médecin lui a dit que je ne marcherais plus jamais, il s'est mis à genoux au bord de mon lit, il a relevé la couverture et il m'a dit : « Enfin ! maintenant que tu as arrêté de courir, je vais pouvoir les caresser à mon aise. » Tu te rends compte ?

La voix de Julia s'étrangla ; elle reprit après un soupir :

— Un homme comme celui-là, si tu savais...

Il y eut un long silence, tandis qu'elle s'essuyait les yeux. Daniel baissa la tête, avala sa salive, s'empara du soufflet et attisa les braises.

— Bah ! Je suis devenue une vieille radoteuse ! fit Julia. Et je t'embête avec mes histoires.

— Mais non, tu le sais bien. Tu peux continuer, mais il ne faut pas pleurer, ça abîme les yeux, c'est toi qui me l'as dit.

Elle haussa les épaules.

— Tu as raison, fit-elle, je vais finir par ressembler à une vraie sorcière et Baptiste n'aurait pas aimé ça.

— Alors, souris !

— Mais oui, regarde, je souris.

Ils s'observèrent un moment, puis l'enfant reprit :

— Tu sais, il ne faut pas t'inquiéter pour Lisa, je m'en occuperai.

Julia eut un soupir de lassitude.

— Ta vie n'est pas ici, dit-elle, et d'ailleurs elle t'embarrasserait beaucoup, la pauvre.

— Je ne l'abandonnerai jamais, reprit Daniel avec force.

— Et Alphonse ? Et Rose ? Tu y penses ?

— Je n'ai pas peur d'Alphonse. Rose et Lisa, je ne les abandonnerai pas.

Julia se pencha en avant, lui prit les mains :

— C'est bien, mon petit, mais je ne t'en demande pas tant. Si seulement tu pouvais revenir les voir de temps en temps, ce serait déjà beaucoup.

Leurs regards se croisèrent.

— Je te le promets. Si je ne peux pas les emmener, je reviendrai et je m'occuperai d'elles.

Le visage de Julia s'éclaira.

— A la bonne heure ! fit-elle, tu vois, il suffit de bavarder un peu pour se sentir mieux.

Daniel n'était pas dupe. Il savait que très vite elle retomberait en mélancolie et qu'il faudrait de nouveau l'écouter, lui parler, la réconforter. Mais n'était-ce pas le rôle qu'elle-même avait tenu depuis son arrivée au Verdier ? C'était bien son tour de la soutenir et de la protéger, même si c'était difficile, même s'il avait peur, même s'il se sentait surveillé par Alphonse et devait se cacher pour monter au grenier avec Lisa. Là, au moins, une fois seul avec elle, il inventait des voyages à venir, une autre famille, un autre monde, et la petite, bouche ouverte, les yeux illuminés, accueillait avec ravissement ces mots pleins de promesses.

A la mi-février, un soir, la T.S.F. annonça la création du service du travail obligatoire, et chacun se demanda si Alphonse allait bientôt partir. Celui-ci ne fit aucun commentaire pendant la soirée, mais le lendemain, à son retour du village, il déclara qu'il n'irait pas en Allemagne, même s'il trouvait cette mesure parfaitement justifiée. En s'asseyant à table, il expliqua que depuis la mort de Baptiste il était devenu le chef de famille et, à ce titre, indispensable. C'était du moins ce qu'on lui avait appris à la mairie. Julia, impassible, lança :

— Vous devez regretter beaucoup de ne pas travailler pour les Allemands ?

Alphonse, surpris, se redressa et répliqua :

— Parfaitement ! Ceux-là au moins savent reconnaître les services qu'on leur rend.

— Votre famille pourrait bien mourir de faim que ça ne vous gênerait pas beaucoup.

Rose jeta un regard implorant à sa mère. Daniel, lui, retenait son souffle tandis que Lisa, qui ne se rendait compte de rien, s'amusait avec son pain.

— Pour ce qu'elle s'intéresse à moi, la famille ! Toujours à me reprocher quelque chose ou à me rendre responsable des malheurs !

— C'est d'ailleurs pour ça que vous vous saoulez tous les soirs.

— Parfaitement ! Parce que vous m'avez jamais accepté dans cette maison.

Julia haussa les épaules.

— Qu'est-ce que vous allez chercher là ? fit-elle. Vous dites vraiment n'importe quoi, mon pauvre Alphonse.

Celui-ci se leva et, hors de lui, cria :

— Je dis peut-être n'importe quoi, mais maintenant c'est moi le maître ici.

Aux cris de son père, Lisa, comme à son habitude, se mit à pleurer.

— Vous voilà bien avancé, dit Julia ; tout ce que vous avez réussi dans votre vie, c'est de rendre les autres malheureux.

Alphonse, furieux, répéta :

— C'est moi le maître, ici, et ne croyez pas me faire peur avec vos grands airs.

Il y eut un bref silence durant lequel Daniel se demanda pourquoi Julia, précisément ce soir, provoquait Alphonse. Il pensa qu'elle avait saisi l'occasion pour résoudre une bonne fois pour toutes les problèmes apparus depuis la mort de Baptiste. Julia, de fait, reprit d'une voix étrangement calme :

— Les terres sont à moi et le bétail aussi, vous ne pouvez rien pour changer ça. Que vous le vouliez ou non, tant que je serai vivante, c'est moi qui commanderai.

La voix n'avait pas faibli. Julia défiait Alphonse avec une lueur ardente dans le regard.

— Vous ne vivrez pas cent sept ans, répliqua-t-il, haineux.

— Arrête, intervint Rose qui, depuis un moment, s'essuyait les yeux avec son tablier.

— Ne me parle pas sur ce ton, toi ! tonna Alphonse.

Et, se tournant vers Lisa dont les pleurs devenaient de plus en plus aigus :

— Et toi, tais-toi ou je te fous dehors !

— Bon, maintenant ça suffit, cria Julia, sortez ! Allez-vous-en !

Alphonse, debout, tremblant de colère, les yeux exorbités, menaça :

— C'est moi qui vais vous foutre dehors, vous et votre chaise.

— Alphonse, gémit Rose.

Daniel, se levant d'un bond, devança Alphonse, saisit le tisonnier et se glissa entre Julia et lui.

— Écarte-toi, petit, dit Alphonse, ou il va t'arriver malheur.

— N'avance pas, fit Daniel, le tisonnier levé, prêt à frapper.

Alphonse, cherchant à lui prendre le bras, avança d'un pas. L'enfant, après s'être légèrement rejeté en arrière, abattit le tisonnier sur la main puis, comme Alphonse se courbait sous la douleur, assena un deuxième coup sur la tête. Ce dernier poussa un cri, tomba à plat ventre et ne bougea plus. Rose se précipita tandis que Daniel, horrifié, regardait la tache rouge qui s'élargissait sur les cheveux d'Alphonse.

— Il est mort, gémit Rose.

— Ne dis pas de bêtises, fit Julia, il a perdu connaissance, c'est tout. Tirez-le dehors par les pieds et fermez la porte. Le froid le réveillera.

— Aide-moi vite, fit Rose, retrouvant brusquement ses esprits.

— Dépêchez-vous, dit Julia, on ne sait pas de quoi il serait capable.

Déjà, en effet, Alphonse revenait à lui en gémissant. Rose et Daniel l'emmenèrent dehors où le vent dispersait quelques flocons de neige. Quand ce fut fait, Rose ferma vite la porte à clé en soupirant :

— Qu'est-ce qu'on va devenir, mon Dieu ?

— Il ne se passera rien du tout, assura Julia. Et cesse donc de toujours te lamenter.

Daniel vint s'asseoir près de Lisa qui ne pleurait presque plus.

— N'aie pas peur, dit-il, n'aie pas peur, c'est fini.

Ils écoutèrent un moment sans parler, entendirent de nouveaux gémissements, puis des jurons et, au bout de cinq minutes, Alphonse s'éloigna en lançant des menaces. Dans la cuisine, Julia brisa la tension en disant :

— Il n'y reviendra pas de sitôt. Je suis sûre que ça lui servira de leçon !

— Espérons, dit Rose.

— Mais toi, petit, reprit Julia, prends garde de ne pas te trouver seul avec lui où que ce soit.

— Oui, approuva Rose, fais bien attention parce qu'il devient complètement fou.

— D'ailleurs, ajouta Julia, ce soir tu dormiras avec Lisa.

Puis, après un instant de réflexion :

— Et à l'avenir aussi ; il vaudra mieux.

Cette décision rassura Daniel qui aurait bien été incapable de se rendre dans la grange. Ainsi, ce soir-là, après une heure passée à jouer aux dominos avec Julia, il s'endormit près de Lisa qui, dans l'ombre, lança longtemps ses petits cris, comme pour lui faire partager son bonheur.

Le lendemain, entre midi et quatorze heures, les deux enfants se rendirent au grenier dès le départ d'Alphonse. Ce qu'ils découvrirent ne surprit pas vraiment Daniel : quelqu'un s'était acharné sur le bateau dont les planches gisaient, fracassées, en un amas dérisoire. D'abord la petite parut ne pas comprendre, puis son regard courut des planches à Daniel, de Daniel aux planches, et elle se mit à crier. Plus que de véritables cris de chagrin ou de douleur, il s'agissait de cris d'indignation qui, au bout de quelques minutes, devinrent des sanglots. Lui, d'abord incrédule, sentait enfler en lui une colère froide qui ne trouvait pas à s'exprimer et l'étouffait. Il serra les dents, refoula ses larmes et commença à reconstruire le plancher du bateau pour minimiser la catastrophe vis-à-vis de Lisa. Tout en travaillant, il prononça les mots dont elle avait besoin :

— Tu vois, ce n'est rien, et on le construira notre bateau, on la descendra la rivière ; tu seras à l'avant, tu me montreras où passer, et quand on arrivera dans la mer, c'est toi qui la verras la première.

En l'écoutant, accrochée à lui, elle s'apaisait un peu.

— Rose nous fabriquera une voile avec les draps, reprit-il. On dessinera des oiseaux dessus, ils nous aideront à voler par-dessus les vagues.

Cependant, peu à peu, le découragement le gagnait.

— Il sera beaucoup plus grand, beaucoup plus beau, ajouta-t-il, mais sans véritable conviction.

Rose appela dans la cour, car c'était l'heure de l'école. Daniel emmena Lisa jusqu'à la maison et partit à pas lents, malheureux, tandis que flottaient devant ses yeux les débris de son bateau détruit.

Il arriva comme d'habitude en retard, mais le maître, qui paraissait soucieux, ne lui fit aucun reproche. En s'asseyant à sa place, Daniel songeait à Alphonse en se demandant s'il ne devait pas redouter plus encore les jours à venir. Préoccupé, il accorda peu d'attention au Rhône et à ses affluents que le maître dessina au tableau pendant la première partie de la matinée. Puis ce fut la récréation. Elle dura peu, tant le froid et la pluie rendaient la cour inhospitalière. Dès que les élèves furent de nouveau installés à leur table, à l'instant où le maître commençait une leçon de choses sur les champignons, on frappa aux carreaux. Aussitôt, toutes les têtes se tournèrent vers la porte derrière laquelle se tenaient deux gendarmes et un troisième homme inconnu. Immédiatement, avant même que le maître eût ouvert la porte, Daniel fut persuadé qu'Alphonse l'avait dénoncé. Submergé par une peur atroce, il demeura assis, incapable de tenir sur ses jambes alors que tous les élèves se levaient d'un même élan.

— Vous n'avez pas le droit, entendit-il vaguement, ces enfants sont sous ma protection et je suis responsable d'eux.

— Ne faites pas de zèle s'il vous plaît, répliqua une voix à l'accent parisien.

— Écoutez, mon capitaine, dit le maître, je vous connais bien ; alors permettez-moi de vous dire que vous ne pouvez pas entrer ici.

— Non seulement vous vous opposez à mon autorité, fit la voix étrangère, mais, en étant parfaitement au courant que ce gosse est juif, vous vous placez en dehors des lois et des règlements.

— Il n'est pas juif, je vous en donne ma parole.

— Ne parlez pas si vite, vous risqueriez de le regretter; d'ailleurs nous allons vérifier, ce sera vite fait.

— Je m'y oppose formellement.

Il y eut des bruits de pas, une brève bousculade, et les quatre hommes entrèrent dans le champ de vision de Daniel. Il se força à regarder ceux qui allaient l'emmener, se redressa un peu, aperçut deux gendarmes : un grand, maigre, sans lèvres; et un petit portant moustaches, aux yeux très noirs et aux sourcils épais, qu'il avait déjà aperçu dans les rues du village. Son regard glissa imperceptiblement vers l'homme habillé en civil : de taille moyenne, le buste raide, vêtu d'un pardessus beige et d'un chapeau de feutre, il examinait les élèves de ses yeux bleus dont l'éclat rehaussait la finesse de ses traits.

Daniel crut déceler un ordre dans les yeux du maître dirigés sur lui. Il comprit qu'il lui fallait se lever, ne pas se faire remarquer, et il obéit lentement, sans cesser de regarder le maître dont la tête, alors, se détourna.

— Qui est Albert Cassagne ? demanda l'homme dont les yeux semblaient transparents.

Daniel respira un peu mieux. Albert Cassagne était un petit être chétif et doux qui était arrivé à l'école deux mois auparavant et à qui il n'avait jamais accordé d'attention particulière. Ils auraient sans doute fait connaissance si, depuis la mort de Baptiste, pour ne pas perdre de temps à la ferme, Daniel n'avait appris ses leçons pendant les récréations.

Un silence de crypte s'était refermé sur la classe. Toutes les têtes s'étaient tournées vers les premiers rangs, où, sur la gauche, une main timidement levée, le petit Albert attendait la sentence.

— Tu t'appelles Albert Hertzl ? N'est-ce pas ? fit l'homme au chapeau en s'approchant.

Il y eut un bref silence durant lequel le maître tenta vainement d'intervenir.

— Je m'appelle Albert Cassagne, fit une voix enfantine.

— Viens avec moi ! dit l'homme.

Et, comme le petit n'obéissait pas, s'adressant aux gendarmes :

— Emmenez-le dans le couloir.

— Je vous l'interdis, fit le maître en essayant de s'interposer.

Il fut repoussé par les gendarmes, tandis que l'homme au chapeau menaçait :

— Encore une tentative de ce genre et je vous fais arrêter.

Quand les gendarmes saisirent le garçon par les bras, celui-ci se mit à crier et à se débattre, puis, une fois maîtrisé, se tut brusquement. Daniel, horrifié, n'osait plus respirer. La peur, une peur folle, douloureuse, irradiait dans ses

veines, l'anéantissait. Les trois hommes et
l'enfant disparurent de l'autre côté de la porte,
dans le couloir. Pendant les trente secondes où
ils y demeurèrent, un silence glacé régna sur la
classe paralysée de terreur. Le regard de Daniel
croisa de nouveau celui du maître qui l'exhortait
au calme. Il lui sembla même entendre une voix
qui disait :

— Ne bouge pas, ne parle pas, reste où tu es.

Quand les hommes reparurent, le civil souriait.

— Circoncis mais pas juif, n'est-ce pas ?
fit-il en toisant l'instituteur. Vous parlez trop,
mon ami, et sans réfléchir. Je me souviendrai de
vous.

Daniel dévisageait le petit Albert Hertzl, malheureux de n'avoir pas su se rapprocher de lui
depuis les deux mois où il avait rejoint l'école.
Ainsi, lui aussi se cachait, lui aussi était pour-
suivi, lui aussi vivait sans ses parents ! Face à ce
visage ingrat, ce corps frêle, ces épaules basses,
il fut sur le point de voler au secours de celui
qui lui ressemblait, de crier que lui aussi était
juif, mais qu'il n'était coupable de rien, sinon
d'exister, comme les autres enfants du village.
Le maître devina-t-il le désir de l'enfant ? Il se
plaça entre les hommes et lui pendant qu'ils tra-
versaient la classe et se dépêcha d'ouvrir la
porte. Quand ce fut fini, que la nuque fragile

d'Albert Hertzl eut disparu derrière les vitres, le silence persista, contrairement à ce qui se passait d'ordinaire après une visite. Le maître revint vers son bureau à pas lents, s'éclaircit la voix, murmura d'une voix troublée :

— N'oubliez jamais ce que vous venez de voir, mes enfants.

Il demeura un long moment les yeux dans le vague, mordillant l'ongle de son pouce, incapable de parler. La classe reprit seulement au bout de dix minutes, mais Daniel n'entendit pas un seul des mots prononcés par le maître. Il lui semblait que la menace dont l'ombre s'était effacée depuis quelques mois renaissait, plus vivace encore, plus redoutable. De temps en temps le maître jetait un regard vers lui, mais il ne s'en rendait même pas compte, tellement il était muré dans sa peur. Et au milieu de cette peur, côte à côte, erraient Alphonse et l'homme au chapeau. Tous deux également menaçants. Tous deux impitoyables. Cette image ne le quitta pas de l'après-midi ni pendant la soirée. Pourtant, une fois au Verdier, il trouva la force de raconter ce qui s'était passé à Julia et à Rose, espérant que cela le soulagerait. Mais il lut une telle angoisse dans les yeux des deux femmes qu'il fut persuadé que même dans cette maison où il avait été heureux, il ne serait plus jamais à l'abri du danger.

Le lendemain, qui était un samedi, une pluie fine et froide tomba sur la vallée d'où les brumes matinales ne s'étaient pas levées. Désœuvré, Daniel emmena Lisa au grenier, s'arrêta sur le seuil, frappé de stupeur : toutes les planches, tous les outils avaient disparu. Devant ce plancher nu, Lisa, après être restée un moment immobile, se mit à trépigner et à gémir. Il dut l'entraîner dans la grange où il s'assit près d'elle pour la consoler.

— Même sans bateau, dit-il, on partira, je te le promets. N'aie pas peur, Lisa, il suffit d'attendre leur retour et ils nous emmèneront par-dessus les vagues vers les îles aux oiseaux.

Comme la petite ne s'apaisait pas, mais, au contraire, gesticulait en poussant des cris, il la fit s'allonger et la prit dans ses bras, sa tête reposant sur son épaule.

— Ne t'en fais pas, poursuivit-il, on partira et tu verras les pays où on arrive le soir quand le soleil est rouge. Là-bas, j'achèterai une grande voiture décapotable, toute blanche, et on roulera à plus de soixante à l'heure sur les routes qui bordent les plages le long des palmiers. Il y aura du vent, mais du vent chaud, jamais de pluie, et du soleil, même à Noël, quand la vie devient bleue. Comme on sera très fatigués, on ira dormir sur le sable, et tout le monde sera là, autour de nous : lui, elle, Julia, Rose et même Baptiste. On mangera dans une cabane à l'ombre des grands cocotiers, il fera chaud, tu seras bien. Et on ne verra plus Alphonse, plus jamais, il sera loin, très loin, avec les Allemands, à l'autre bout du monde, et on s'endormira en se disant que tout ça est fini, que la guerre est partie et qu'on n'aura plus jamais peur.

Il parlait depuis plusieurs minutes quand il eut l'impression d'une présence dans l'ombre. Se redressant brusquement, le cœur fou, il reconnut Alphonse près de la porte. Abandonnant Lisa sur la paille, il fut debout en un bond et chercha une fourche des yeux. Cependant, Alphonse ne fit pas un geste. Il se contenta d'observer les deux enfants un moment, puis il sortit sans un mot.

— Viens ! dit Daniel à la petite en reprenant ses esprits, il ne faut pas rester là.

Ils quittèrent prudemment la grange et ne revirent pas Alphonse qui ne se trouvait ni dans la cour ni dans la maison. Mises au courant, Julia et Rose s'inquiétèrent : cette absence et ce silence n'auguraient rien de bon. Pourtant, comme si de rien n'était, Alphonse vint traire les vaches sans manifester la moindre humeur et, lorsqu'il eut terminé, au lieu de partir au café comme à son habitude, il s'assit à table en attendant le dîner. Il mangea ensuite sa soupe sans parler, fit couler du vin dans son assiette, le but, et dit enfin :

— Ils sont venus chercher un gamin juif à l'école, hier ; tout le village en parle.

Daniel sentit une pince de fer se refermer sur son cœur : tout ce qu'il redoutait depuis la veille, une seule phrase venait de le rendre immédiat, prêt à fondre sur lui. Alphonse souriait, mais d'un sourire mauvais qui en disait long sur ses intentions.

— Et alors ? fit Julia.

Alphonse prit le temps d'avaler une bouchée, de réfléchir, de bien peser les mots en savourant ses effets à l'avance.

— Alors ? Eh bien, si vous ne faites pas ce que je vais vous demander, ils viendront en chercher un deuxième bientôt.

Daniel était maintenant au-delà de la peur. Il lui semblait flotter dans un état second, voguer au milieu de ténèbres closes. C'est à peine s'il distinguait les traits de Lisa qui, bouche ouverte, le considérait bizarrement, et ceux de Rose, assise face à lui, et qui avait fermé les yeux. Car il devinait ce qui allait suivre et il se savait perdu.

— Qu'est-ce que vous voulez ? demanda Julia d'une voix blanche.

Alphonse fit durer le plaisir, sourit, consentit enfin à répondre :

— Je veux que ce gosse foute le camp d'ici, ou alors...

Un froid silence tomba, persista pendant de longues secondes.

— Ivi ! fit Lisa qui ne comprenait rien à ce qui se passait.

— Vous n'oseriez pas faire une chose pareille, dit Julia après avoir retrouvé un peu d'assurance.

— Ah non ? Et pourquoi donc ?

— Parce que je vous tuerais, fit Julia d'un ton sans équivoque.

— Laissez-moi rire ! Vous voudriez me tuer ? Et avec quoi ? En me passant sur le corps avec votre chaise ?

— Un fusil me suffira.

Alphonse ricana.

— Je les ai tous cachés, les fusils, et je suis le seul à savoir où ils sont.

— Je vous dénoncerai aux gendarmes !

— Je vous ai déjà dit qu'ils me mangeaient dans la main, les gendarmes.

Le silence tomba de nouveau.

— Enfin, fit Rose au bout d'un instant, qu'est-ce qu'il t'a fait, ce petit ?

— Je ne supporte plus de le savoir couché dans le même lit que ma fille ! cria Alphonse.

Daniel entendait à peine ; il lui semblait que des cloches sonnaient près de ses oreilles et tous les sons, tous les mots prononcés lui faisaient mal.

— Il dormira dans la grange, concéda Julia.

Alphonse se dressa, tapa du poing sur la table et hurla :

— Je veux plus le voir ! Vous m'avez compris ? Aujourd'hui, je vous tiens, alors ce gosse va partir d'ici ou il y aura un malheur !

— Alphonse, gémit Rose, tais-toi, je t'en prie.

— Vous êtes complètement fou, mon pauvre, on devrait vous enfermer dans un asile, dit Julia.

Alphonse, qui s'était assis, se leva de nouveau.

— Fou ou pas, dit-il, vous avez deux jours pour trouver une solution. Débrouillez-vous comme vous voulez.

Et il sortit, manquant de briser la porte de rage, les laissant tous trois désemparés. Un long moment passa, sans que personne trouve la force de parler. Rose triturait son tablier, et Julia, lèvres serrées, hochait la tête en fermant les yeux. Seule Lisa manifestait un peu de joie en jouant avec sa serviette. Daniel, lui, avait perdu toute volonté.

— Je le connais bien, fit Julia au terme de sa réflexion, il est capable de tout. Il faut éloigner le petit, au moins le temps qu'il se calme ; ça ne servirait à rien de discuter.

Et, s'adressant à Daniel :

— Ne te fais pas de mauvais sang, on va arranger ça.

— On n'y arrivera jamais, souffla l'enfant, anéanti.

— Mais si, mais si ; laisse-moi faire. Tiens ! Je suis sûre qu'Adélaïde acceptera de te prendre pendant quelques jours.

— Tu crois ?

— Plutôt la Louise, intervint Rose, elle est si brave. D'ailleurs, ils n'y arrivent pas avec Gontran : ils ont toujours du travail en retard.

— Mais vous, comment ferez-vous ? demanda Daniel.

— On se débrouillera, dit Julia ; et puisqu'il ne veut pas de toi, il travaillera tout seul, ça lui apprendra !

Rose ajouta, fataliste :

— Et ce qu'on pourra pas faire, on le laissera.

Daniel se sentit un peu mieux. Pourtant il hésita avant de demander :

— Est-ce qu'on dira la vérité ?

— Quelle vérité ? demanda Rose.

— Eh bien... qui je suis.

Il y eut un bref silence. Manifestement les deux femmes n'avaient pas envisagé la question.

— Il vaut mieux, dit enfin Julia. On ne sait jamais ce qui peut arriver. Et puis elle n'est pas obligée d'en parler à son homme.

Cette réserve parut d'importance à Daniel. Aussitôt né, l'espoir retombait, et malgré l'assurance de Rose et de Julia, la soirée fut bien sombre. Après une courte partie de dominos avec Julia, il préféra aller se coucher. Malgré la présence de Lisa près de lui — peut-être pour la dernière fois, songeait-il —, il ne put trouver le sommeil. Pendant toute la nuit l'homme au chapeau, les gendarmes et Alphonse tournèrent autour de lui en proférant des menaces et, vers le matin, une fois endormi, il se trouva en compagnie d'Albert Hertzl dans un bateau qui s'enfonçait inexorablement dans une mer déchaînée.

Le lendemain, Alphonse se comporta comme si de rien n'était. Rose profita d'une demi-heure de temps libre pour se rendre à Grandval où Louise, sur sa demande, promit de venir au Verdier au début de l'après-midi. Daniel, impatient, la guetta de la grange. Quand il l'aperçut sur sa bicyclette, il se rappela cette soirée de Noël où il avait fait connaissance avec elle et se sentit mieux. Louise embrassa tout le monde avec autant d'empressement que si elle n'était pas venue en visite depuis plusieurs mois, puis, conduite par Rose, elle s'assit face à Julia avant de demander, intriguée :

— Qu'est-ce qui se passe ici ? On croirait que vous veillez les morts.

Daniel, en cet instant, aurait voulu se trouver à des milliers de kilomètres du Verdier. Devant cette femme si simple et si droite, il se sentait coupable sans savoir pourquoi et s'en voulait. Pourtant, en même temps, le visage rond de Louise, ses fossettes, ses grands yeux, sa bouche aux lèvres pleines, ses joues rebondies, son sourire, enfin, le rassuraient. Il fut content que Julia l'eût choisi, elle, plutôt qu'Adélaïde, car le danger était plus grand au village qu'en pleine campagne. Mais Louise n'allait-elle pas manifester à son tour la même réticence qu'Adélaïde en apprenant qui il était? N'allait-elle pas le décevoir et le blesser? Il s'assit sur une chaise, à l'autre bout de la cuisine, écouta Julia qui ne s'embarrassait pas de préliminaires, expliquait que Daniel n'était pas le petit-fils de Louisou, mais celui d'une femme de Paris qui l'avait placé ici et ne pouvait pas le reprendre.

— Et pourquoi donc? demanda Louise étonnée.

— Parce qu'elle se cache.

— Des Allemands, peut-être?

— Oui. Des Allemands.

— Qu'est-ce qu'elle a fait, la pauvre?

— Elle n'a rien fait, mais ils arrêtent tous les juifs.

— Et elle est juive, pardi! triompha Louise.

Son regard quitta Julia pour se poser sur Daniel, et ce fut seulement à ce moment-là qu'elle comprit. Elle ouvrit la bouche, retint les mots qu'elle allait prononcer, soupira:

— Et toi aussi, petit?

— Oui, fit Julia.

Louise réfléchit un instant, hocha la tête.

— Moi, je sais pas très bien qui sont les juifs et ce qu'on leur reproche, mais c'est bien malheureux, tout ça.

Et elle répéta plusieurs fois :

— C'est bien malheureux... C'est bien malheureux.

Daniel ne comprenait pas si elle le plaignait ou si elle regrettait d'avoir découvert son identité. Elle continuait de hocher la tête et d'examiner l'enfant d'un air compatissant.

— Il faudrait le prendre à Grandval, dit Julia, profitant du silence. Alphonse ne veut plus le garder ici et j'ai peur qu'il aille le dénoncer.

— Il ferait pas ça, tout de même.

— Si, dit Julia.

— Tout de même, répéta Louise.

— Il faut le prendre à Grandval, mais en sachant que ça peut être dangereux, insista Julia.

Louise demeura pensive un long moment, considérant Daniel qui gardait la tête baissée.

— Qu'est-ce qui n'est pas dangereux de nos jours ? dit-elle enfin. On vit dans un monde qui marche sur la tête. Mais qu'est-ce que tu veux qu'ils fassent à des vieux comme nous ?

Daniel, qui avait deviné un assentiment, sentit une vague de reconnaissance l'envahir. Il tourna la tête vers Louise qui souriait et disait :

— Va chercher tes affaires, je vais t'emmener sur le porte-bagages.

— Et Gontran ? dit Rose.

Louise haussa les épaules.

— Oh ! Que tant d'affaires ! Il m'a demandé il y a huit jours si on ne pouvait pas prendre un enfant de l'Assistance. Eh bien, tiens ! Je l'ai trouvé le petit de l'Assistance !

Daniel s'approcha d'elle, murmura :

— Merci, Louise.

Elle l'attira contre elle, l'embrassa.

— De rien, mon petit, on aura enfin un peu de jeunesse dans la maison. Allez, filons vite, que Gontran doit m'attendre.

Rose rassembla à la hâte quelques affaires en promettant de venir à Grandval tous les deux ou trois jours en charrette. Quand elle eut terminé, elle éloigna Lisa qui commençait à manifester des signes d'inquiétude. Vint l'instant des adieux. Daniel embrassa Julia, qui lui dit :

— Prends bien garde à toi, mon petit, et espère un peu, tu reviendras bientôt ; je m'occupe d'Alphonse.

— Oui, dit Daniel, au revoir et à bientôt.

Un peu plus tard, une fois installé sur le porte-bagages, en quittant cette maison où il était arrivé neuf mois plus tôt, il eut l'impression de laisser une deuxième fois les siens derrière lui.

6

Grandval était un lieu-dit situé au bord d'une saulaie sur un chemin de traverse. Cent mètres plus loin, il rejoignait la grand-route qui, après avoir franchi un pont sur la Dordogne, montait à l'assaut des collines avant de disparaître dans les bois de chênes du causse.

Deux kilomètres séparaient la ferme de Grandval de celle du Verdier. Deux kilomètres qui en avaient paru dix à l'enfant juché sur le porte-bagages de Louise, le jour où elle l'avait amené. Depuis lors, il avait essayé de s'habituer à sa nouvelle vie. Mais, si les bâtiments ressemblaient à ceux du Verdier — ils cernaient une cour intérieure d'où émergeait un puits —, il ne se sentait guère à son aise et regrettait beaucoup la présence de Julia, de Rose et de Lisa. Gontran et Louise, en effet, parlaient peu et toujours en patois, ce qui l'excluait de la conversation sans que les deux vieux s'en rendissent compte. Heureusement, l'hiver avait fondu sous les embellies de mars qui rehaussaient l'éclat des prairies et des champs.

Quand Daniel trouvait un peu de temps libre, le soir, il allait s'asseoir au bord de la grand-route en espérant voir passer une voiture, ou courait vers le pont qui enjambait la Dordogne. Là, assis contre une des piles, il rêvait à Lisa, à leur bateau, à ses parents qui s'éloignaient chaque jour davantage.

Rose était revenue une fois ou deux au début, mais il y avait longtemps qu'on ne l'avait pas vue. Sans doute Alphonse lui avait-il interdit de quitter le Verdier en raison du surcroît de travail. Daniel n'arrivait pas vraiment à lui en vouloir : il comprenait vaguement cette jalousie qui le portait à la colère et parfois même à la folie. Alphonse aimait sa fille et elle lui échappait, ou du moins paraissait accorder plus d'intérêt à un étranger. Comme il se savait impuissant à l'attacher à lui, il se vengeait comme il pouvait.

Quinze jours passèrent durant lesquels Daniel s'efforça d'aider de son mieux Louise et Gontran à la traite des vaches, aux labours de printemps, aux semailles des pommes de terre. Il se donna au travail avec l'espoir d'oublier ainsi ceux du Verdier, du moins pour quelques heures. Gontran ne le ménageait pas, mais n'était pas mauvais. Sous des abords un peu frustes, se cachait un homme de bonne compagnie. Louise, elle, ressemblait davantage à Rose qu'à Julia. Elle n'était que miel et douceur. Daniel se demandait parfois si elle avait dit la vérité à Gontran, mais n'osait pas lui poser la question. Au maître d'école, qui était venu aux nouvelles une semaine après le départ du Verdier, elle avait déclaré que l'enfant était en sécurité chez elle et que c'était ce qui comptait : l'école, on verrait après. Le maître en avait convenu, était reparti rassuré : depuis l'arrestation du petit Albert, il valait mieux ne pas prendre de risques.

Louise ne cessait de faire des recommandations à Daniel, veillait sur lui à chaque heure du jour comme sa propre grand-mère, le gavait de confitures, et disait, comme pour s'excuser :

— Mes petits-enfants sont à Cahors ; alors je me rattrape avec toi.

Et elle continuait de le choyer sans jamais lui poser des questions sur sa vie d'avant, ses parents, ou les raisons pour lesquelles Alphonse ne voulait plus de lui.

Passaient des jours un peu moroses, qui semblaient durer une éternité à Daniel. Aussi, le soir où il entendit une charrette dans la cour en finissant de manger son omelette, il sortit précipitamment sur le seuil. Il savait que c'était Rose, car il avait reconnu le pas du cheval. Et quand elle l'embrassa, ce fut comme s'il embrassait aussi Lisa et Julia, comme si l'odeur du Verdier, de la grande cuisine, de la grange où il dormait, pénétrait en lui. Rose souriait et manifestait beaucoup d'excitation. Elle accepta sans façon le verre de chicorée agrémenté d'un peu de café proposé par Louise. Celle-ci mit à chauffer la casserole et demanda :

— On te voyait plus ; il est arrivé un malheur ?

— *Oh la yéou !* fit Rose, il s'en est passé des choses ! Mais il vaut mieux que je commence par le début.

— Oui, mais dépêche-toi parce que tu nous fais languir, dit Louise.

Rose hocha la tête, reprit :

— C'est Alphonse qui m'a interdit de venir, parce que ça allait très mal avec la petite.

— Qu'est-ce qui allait très mal ? demanda Gontran en bourrant sa pipe.

— Eh bien, figurez-vous que dès le lendemain du départ du petit, elle a refusé de manger. D'abord Alphonse n'a rien dit, mais, comme le surlendemain elle recommençait, il l'a battue et il est resté deux heures à table avec elle pour l'y obliger. Rien à faire : elle a rendu ce qu'il lui a forcé à avaler. Le soir, c'était pareil. Le lendemain, même chose. Alphonse devenait fou et nous, avec Julia, on avait peur. Un jour, même, il l'a tellement battue, la pauvre, qu'on a cru qu'il allait la tuer.

Elle s'interrompit et, à ce souvenir, s'essuya furtivement les yeux. Daniel, lui, devinant qu'il était arrivé quelque chose de grave, était impatient de savoir.

— La journée, reprit Rose, elle restait dans sa chambre et gémissait comme une chienne à qui on a pris ses petits. Nous, on savait ce qui lui manquait, mais quand Julia l'a dit à Alphonse, ça l'a rendu encore plus fou.

Rose but une gorgée de chicorée, soupira, puis :

— Si bien qu'à force de ne pas se nourrir, elle dépérissait à vue d'œil, la pauvrette. Elle restait couchée, se plaignait, ne se levait plus. Quand on a vu ça, un matin où Alphonse était aux champs, on a décidé d'aller chercher le docteur. Il est venu dans l'après-midi et nous a demandé ce qui se passait. Julia le lui a expliqué. Alors il est allé voir la petite et il est revenu dans la cuisine en disant qu'elle se laissait mourir, tout simplement.

— Misère ! fit Louise, c'est pas possible !

Daniel sentit une bizarre douceur l'envahir, comme ces soirs d'été où il s'endormait dans l'odeur des foins tout juste rentrés. Une brume descendit sur ses yeux, l'empêchant de voir distinctement Rose, Louise et Gontran.

— Sur ce, Alphonse est arrivé, reprit Rose. Il a voulu jeter le médecin dehors, mais vous le connaissez : c'est un costaud, M. Andrieu. Il a pris Alphonse par le col de la chemise, il l'a secoué un peu et il lui a dit : « Si tu ne vas pas chercher le petit, eh bien, dans une semaine, ta fille, elle sera morte. »

Un grand silence se fit, chacun retenant son souffle.

— Oui, répéta Rose au bout d'un instant, il lui a bien dit : « Dans une semaine, ta fille, elle sera morte. »... Après, il l'a assis sur le banc, et il l'a secoué encore, tant qu'il n'a pas été sûr qu'il avait compris.

Rose se tut, but une gorgée de café, ajouta :

— Mais il avait compris. Il a réfléchi un moment, puis il a dit : « Puisque c'est comme ça, faites ce que vous voulez et foutez-moi la paix. »

— Pauvre petite, dit Louise, faut-il qu'elle souffre tout de même !

Daniel ne savait que dire. Ces événements, qui se précipitaient, le dépassaient. Avait-il bien entendu ? Allait-il pouvoir revenir au Verdier ?

— Qu'est-ce que tu attends ? dit Rose, souriante. Va rassembler tes affaires !

Daniel ne se le fit pas dire deux fois. Il courut dans la petite chambre meublée d'un lit et d'une armoire basse en merisier, revint très vite avec son sac, impatient de partir. C'est à peine s'il remarqua la tristesse de Gontran et de Louise qu'il prit soin, cependant, de remercier en promettant de revenir les voir.

Sur la charrette, près de Rose, ils parlèrent à peine. Le vent, toujours aussi froid, portait néanmoins des murmures très doux. La nuit sentait le bois mouillé, et la lune, sur laquelle glissaient des nuages grisâtres, montrait le chemin au cheval attentif. Rose dit à l'enfant, au moment d'arriver :

— Elle en a vu, tu sais, notre Lisa.

Il lui sembla qu'elle voulait par là le préparer à une épreuve, mais il en conçut plus de curiosité que de crainte. Et déjà les chiens lui faisaient fête, le léchaient, se traînaient à ses pieds, gémissaient en se frottant à ses jambes. Il comprit vraiment en poussant la porte et en se précipitant dans les bras de Julia combien cette maison était sienne.

— Va, dit Julia, va vite près d'elle.

Une pensée le retint un instant.

— Et Alphonse ? fit-il.

Julia balaya l'objection d'un signe de la main :

— Comme par hasard il a trouvé un travail urgent dans la grange.

Rose suivit l'enfant dans la chambre où la petite dormait. Il alluma la lampe, s'approcha du lit, eut du mal à reconnaître le visage qui avait perdu sa rondeur, les cheveux leur éclat, la peau sa matité. Il eut peur qu'elle fût morte, murmura en se penchant sur elle :

— Lisa.

Et, comme les cils ne tremblaient même pas :

— Lisa, c'est moi, je suis là, je suis là.

La petite gémit sans ouvrir les paupières. Il se redressa, demanda à Rose qui, nerveusement, nouait et dénouait un bout de son tablier :

— Tu crois qu'elle m'entend ?

Rose hocha la tête, souffla :

— Oui, je crois, mais le médecin a recommandé qu'elle mange dès ce soir. Je vais chercher du bouillon.

Elle sortit. Devant ce masque livide et ces yeux clos, Daniel serrait les poings en pensant à Alphonse et se demandait comment il aurait réagi s'il était entré dans la pièce. Il repoussa cette idée, saisit les mains qui reposaient sur la couverture, murmura :

— Lisa, Lisa, réveille-toi, il faut manger.

Il répéta plusieurs fois la même phrase avec, sur la fin, une sorte de découragement. Pourtant les cils battirent. Alors, entourant de son bras les épaules de la petite, la redressant sur l'oreiller, il murmura :

— Lisa, c'est moi, je suis là, regarde-moi.

Rose revint, une assiette fumante et une cuillère à la main.

— Il faut qu'elle mange, cria Julia, de sa chaise. Prenez-vous-y comme vous voulez, mais il faut qu'elle mange !

Rose s'assit de l'autre côté du lit, face à Daniel. Elle emplit une cuillère de bouillon et la porta à la bouche de Lisa. Le liquide coula sur les lèvres et le menton.

— Essaye, toi, dit Rose en tendant l'assiette à l'enfant.

Celui-ci fit pénétrer la cuillère entre les lèvres en disant :

— Bois, Lisa, c'est moi, je suis là, n'aie pas peur.

Il dut s'y reprendre à plusieurs reprises avant que la petite ne finisse par déglutir. A force de mots rassurants, de patience, il parvint à lui faire boire ainsi une dizaine de cuillerées. Rose, alors, jugea bon d'en rester là :

— Il ne faut pas la forcer davantage, elle vomirait. Il vaut mieux qu'elle garde ce qu'elle a avalé.

Et, après avoir reçu l'approbation de Julia :

— On recommencera demain matin ; en attendant, tu vas dormir avec elle.

Daniel s'en fut souhaiter la bonne nuit à la grand-mère. Elle le retint quelques minutes, lui demanda des nouvelles de Gontran et de Louise, s'enquit de la façon dont il avait passé ses journées à Grandval, et le laissa aller se coucher. Il se déshabilla très vite, éteignit, se glissa dans le lit, où, pour se rassurer, il écouta très tard la respiration légère de Lisa endormie.

Le lendemain matin, à force de persévérance et d'encouragements, Lisa but un peu plus de bouillon et ouvrit les yeux. Venu aux nouvelles, le médecin la trouva mieux et repartit en se félicitant de la présence de Daniel. Celui-ci demeura près de Lisa toute la matinée, la quitta seulement pour aller manger. A ce moment-là, pour la première fois depuis son retour, il se retrouva en présence d'Alphonse. Celui-ci le considéra bizarrement avec, au fond des yeux, une sorte d'interrogation douloureuse. Daniel comprit qu'il cherchait à deviner ce qui l'unissait si fort à Lisa, en dépit des obstacles. Et cette interrogation l'obsédait car il ne trouvait pas de réponse. Comment, d'ailleurs, en eût-il trouvé une ? Les enfants eux-mêmes ne le savaient pas. Cette force d'au-delà des jours, d'au-delà de la vie, paraissait provenir de si loin qu'elle en était inquiétante. Elle finit par déconcerter le médecin qui en mesura les effets au cours des trois jours qui suffirent à Lisa pour se tirer d'affaire. Trois jours durant lesquels Daniel ne la quitta pas une seconde malgré l'école et les travaux qui l'attendaient, malgré Alphonse qui s'impatientait. Il s'occupait d'elle, l'aidait à manger, lui parlait de tout et de rien, de la mer, de Baptiste, de voyages, d'étoiles :

— Dès que tu pourras te lever, disait-il, je te montrerai le Grand Chariot, celui qui nous conduira tout là-haut, dans le pays des arbres rouges. Et je te montrerai les chemins : celui qui passe sous le Bouvier, avec ses saules et ses cyprès, celui qui tourne autour de Margarita et qui s'en va vers Altaïr et puis Rigel, par la vallée de la rivière. On ne se perdra pas : une fois près d'Orion, il faut prendre la direction de Bételgeuse; c'est là que commence le grand voyage.

Il baissait la voix, soufflait :

— Là-bas, la mer est rose; ses plages sont de velours...

S'il s'arrêtait, la petite ouvrait la bouche, le tirait par le bras, semblait attendre...

— Il était trop petit, notre bateau, reprenait-il. On en bâtira un autre, beaucoup plus grand, beaucoup plus beau, avec des voiles blanches, où l'on se couchera la nuit pour ne pas avoir froid. Et puis là-bas, on retrouvera Baptiste, et mon père, et ma mère, et on vivra dans la forêt où les prunes sont grosses comme des ballons. Il y aura des oiseaux, beaucoup d'oiseaux qui pêcheront pour nous des poissons, et des chevaux à crinière d'argent. On s'amusera sur le sable, entre les bananiers. Rose et Julia nous feront la cuisine. Il faut manger, Lisa, il faut manger...

Il parlait, il parlait, usant de mots venus d'ailleurs, et la petite en souriant se réveillait d'un long sommeil.

Tout s'éclaira dans la vallée en quelques jours. Les nuages désertèrent le ciel, le vent s'adoucit pour polir les rosées, et le soleil apparut. Il s'agissait pour Daniel de sortir lui aussi de l'hiver et de reprendre plaisir à vivre, à suivre les chemins où les prunelliers, déjà, s'argentaient, à conduire les vaches au pré soir et matin. Car il avait renoncé à l'école, et cela en accord avec l'instituteur qui redoutait une dénonciation toujours possible. Alphonse, lui, semblait avoir changé, comme s'il avait fini par admettre une situation sur laquelle, décidément, il n'avait pas de prise. S'il épiait souvent les enfants, c'était désormais avec davantage de curiosité que d'animosité. Ainsi, tout paraissait s'apaiser en ce début avril, même le vent, même le froid, et les premiers rayons chauds faisaient se lever des parfums endormis, se redresser les herbes des pâtures dont le vert s'épanouissait surtout le long des haies, là où le soleil peinait à boire les rosées.

Le travail dans les champs avait repris, et il n'était pas question d'en espérer le moindre répit. Après les maïs, il fallait s'occuper maintenant des haricots et des pommes de terre, et butter, et sarcler à longueur de journée. Daniel s'efforçait d'imiter Rose qui progressait, courbée, à côté de lui, tandis que Lisa, en bordure du champ, cherchait les premières fleurs sur les églantiers. Alphonse achevait de labourer un champ voisin. On entendait par intermittence ses jurons lancés au cheval, et Daniel se rappelait le temps pas si lointain où ils lui étaient destinés. Parfois Rose se redressait, portait les mains vers ses reins, soufflait :

— Qu'est-ce qu'on serait devenus, sans toi ?

Ou encore, après un regard pour Lisa :

— Écoute-la, elle parle aux arbres.

Et Daniel entendait les petits cris qu'elle lançait en sautillant comme un oiseau.

Le soir, avec la traite, il retrouvait les sensations et les odeurs de ses premiers mois au Verdier, s'apercevait combien elles lui avaient manqué pendant son absence et il lui arrivait même de regretter, malgré Lisa, de dormir désormais dans une chambre. Il était maintenant capable de traire les vaches aussi vite qu'Alphonse : ses doigts allaient et venaient sur le pis, le lait chantait dans la cantine et il se demandait s'il ne connaissait pas ces gestes, cette odeur de foin et de litière depuis sa plus lointaine enfance.

Avec Julia, qui souvent demeurait seule, il parlait peu par manque de temps, si ce n'était le soir. Alors il jouait avec elle aux dominos, lui faisait le récit de la journée, des travaux dans les champs, des rencontres le long des chemins. Avec Lisa, assis par terre, il construisait des châteaux d'épis de maïs, écoutait vaguement les deux femmes qui discutaient en patois, rêvait, et parfois demandait :

— Vous croyez qu'il y aura une lettre, demain ?

— Demain ou bientôt, répondait Julia ; il faut pas t'en faire ; tu verras, tout ira bien.

Il y avait quatre mois qu'il n'en avait pas reçu, et il connaissait par cœur celle des sabots de Noël. Il trouvait le temps bien long, ne s'expliquait pas les raisons de ce silence qui, maintenant, recommençait à l'inquiéter. Heureusement, à l'occasion de son anniversaire, qui tombait un jeudi, Rose et Julia organisèrent une petite fête. A midi, il souffla dix bougies sur une tarte aux pommes fondantes et se régala d'une crème au chocolat. Puis, une fois la vaisselle faite et la cuisine rangée, Julia décréta :

— Cet après-midi, personne ne travaille ; vous prenez la charrette et vous allez aux morilles. Passez chez la Louise, je l'ai fait prévenir.

Dix minutes plus tard, ils se mettaient en route, ravis d'échapper aux contraintes des champs pour une demi-journée de liberté. L'air paraissait si clair, il y avait un tel parfum de printemps, une telle luminosité que Daniel, assis près de Lisa sur la banquette, ferma les yeux, puis les rouvrit, comme pour s'assurer qu'il ne rêvait pas. Oubliés les cauchemars des dernières semaines, les menaces d'Alphonse, l'attente interminable des lettres ! Il n'y avait plus que Rose, Lisa et lui sur un chemin que le soleil saupoudrait de lumière.

A Grandval, Louise les attendait. Pour lui

faire de la place, les deux enfants s'installèrent à l'arrière de la charrette, côte à côte, près des paniers d'osier. En arrivant à la grand-route, Rose, qui tenait les rênes, tourna à droite et mit le cheval au trot. Ils atteignirent bientôt le pont suspendu sur la Dordogne : c'était un ouvrage dont les gros câbles maintenaient deux ossatures métalliques entre lesquelles des planches mal jointes formaient un étroit chemin. De sa place, Daniel aperçut tout en bas les eaux gonflées par la fonte des neiges et il lui tarda d'arriver sur la berge. Dès qu'ils l'eurent atteinte, la route monta en pente douce à travers les chênes pendant près d'une demi-heure. Après deux ou trois virages en lacet, elle déboucha sur un plateau à la végétation plus maigre où, entre des chênes nains et des genévriers, un peu de mousse courait sur la pierraille. Rose se retourna et lui dit :

— On est sur le causse, vois-tu, c'est pas vert comme chez nous.

Il se mit debout pour observer ce monde un peu étrange qu'il apercevait parfois, d'en bas, blotti dans une brume bleutée d'où émergeaient de grandes caries calcaires qui se hissaient vers les nuages. Le cheval s'était remis au trot en arrivant sur le plat. Des pigeons passèrent à plusieurs reprises au-dessus de l'attelage, un lapin déboula et disparut dans un fourré. Dix minutes plus tard, Rose arrêta le cheval à l'ombre d'un grand rouvre, et Daniel put sauter au bas de la charrette. Les femmes donnèrent un panier aux enfants et descendirent vers un vallon que Louise appela une combe.

— La première morille que je trouverai, je te la montrerai, dit-elle à Daniel. Ainsi tu sauras les reconnaître.

Elle ajouta, à l'adresse de Rose :

— Il faut chercher dans les pelouses qui voient seulement le soleil l'après-midi et qui gardent un peu d'humidité. Tiens ! Regarde !

Daniel s'approcha et aperçut, devant Louise, un curieux champignon dont la tête, creusée d'alvéoles grisâtres, formait un bonnet pointu au-dessus d'un pied plus pâle.

— Sens comme c'est parfumé ! dit Louise après l'avoir cueilli.

Daniel prit délicatement la morille, respira un parfum légèrement anisé, eut envie de la croquer. Louise l'attira par l'épaule, tandis que Rose, entraînant Lisa par la main, s'éloignait un peu sur la gauche.

En descendant, Louise trouva une demi-douzaine de champignons : ils semblaient pousser sous ses pieds. Comme Daniel, lui, n'avait pas autant de chance, elle le dirigea sans qu'il s'en rendît compte vers un coin de pelouse ombragé entre deux genévriers.

— Ça y est ! s'exclama-t-il, tout heureux, en voilà deux !

Il les cueillit avec précaution, les posa sans

les abîmer dans son panier et, à partir de cet instant, il descendit seul entre les deux femmes dont il entendait de temps en temps les voix sans les apercevoir. Il trouva des morilles à intervalles réguliers, tantôt émergeant de la mousse, tantôt emmitouflées, ne laissant apparaître que le chapeau. C'était alors un vrai plaisir que de creuser la mousse avec les doigts, de détacher le champignon, d'en respirer longtemps le parfum en fermant les yeux.

Un peu plus tard, Rose appela sur la gauche. Ils se retrouvèrent au fond de la combe, dans un grand pré couvert de petits champignons de rosée, d'un léger violet, aux lamelles fragiles, mais au pied compact et ferme. Ils en remplirent le panier de Lisa, puis se reposèrent un moment à l'ombre d'un genévrier. Rose sortit de son tablier des morceaux de tarte pliés dans du papier. Chacun mangea sa part lentement, assis sur la mousse. Les deux femmes, peu habituées au repos, demeurèrent un long moment silencieuses, comme si elles se refusaient à cette subite vacance du corps et de l'esprit. Puis Louise lança la conversation en s'inquiétant de la santé d'une lointaine cousine et elles devisèrent à voix basse. Lisa s'allongea et posa sa tête sur les genoux de Daniel qui regardait, haut dans le ciel, des palombes tourner au-dessus des collines. Le temps s'arrêta. Des murmures de vent agitèrent les genévriers. Un lièvre roux trotta en travers du coteau, s'arrêta, sembla les observer, puis disparut dans un bond. Un rapace se mit à décrire ses cercles nonchalants au-dessus d'un petit bois et parut s'endormir, appuyé sur le vent de ses ailes immobiles.

Daniel avait encore dans sa bouche le goût des pommes et de la pâte. La présence des deux femmes paisibles ajoutait à la sensation de dou-ceur qu'il gardait sur lui. Il aurait voulu que ces instants durent toujours.

— Si nos hommes nous voyaient ! fit Louise, semblant s'éveiller d'un songe.

Rose caressa les cheveux de Lisa qui se frotta les yeux, se redressa, regarda de tous côtés et sourit. Tous les quatre se levèrent en soupirant.

— Il faut remonter droit jusqu'au plateau, dit Louise ; une fois là-haut, on prendra le chemin sur la gauche. Regardez bien aux endroits où la mousse est humide.

La montée fut pénible. Les paniers presque pleins pesaient aux bras, et la fatigue commen-çait à se faire sentir. Daniel avançait seul, en bordure d'un bois de chênes. Le temps d'un éclair, il aperçut la robe fauve d'une biche, en resta stupéfait. Il appela Rose et Louise, mais trop tard.

— Elle est loin, va ! lui dit Rose, regarde plu-tôt par terre.

Il était sur le point de poser le pied sur une morille. Il la ramassa, recommença à monter, en trouva trois autres un peu plus haut et fut bien content de rencontrer enfin le chemin de terre qui devait le conduire vers la charrette. Déjà, l'après-midi déclinait. Le vent, en fraîchissant, charriait des odeurs de terre labourée. Les femmes arrivèrent, la démarche lourde et le souffle court. Ce fut avec soulagement que Daniel s'assit sur la charrette face à Lisa qui mâchonnait une tige de menthe, lointaine.

Comme la route descendait vers la Dordogne, le retour fut plus rapide qu'à l'aller. Le murmure des deux femmes accompagna les pensées de Daniel qui s'assoupissait. Le soir tombait, peuplant la campagne d'ombres incertaines. Des bruits de chars et des aboiements de chiens résonnaient dans le silence d'une profondeur de caverne.

A Grandval, Gontran, rentré depuis peu des champs, s'extasia devant les morilles. Il fallut boire un peu d'eau de coing avant de repartir. Sur la charrette, Lisa s'approcha de Daniel, lui prit le bras et le suça. Rose chantonnait, laissant le cheval à son humeur. Lorsqu'ils arrivèrent au Verdier, Julia les félicita et prépara aussitôt les morilles pour l'omelette. Exténué, Daniel s'assit près du feu, faillit s'endormir, mais se mit à table avec appétit une fois que le parfum des champignons cuits eut empli la pièce. La soirée, comme l'après-midi, baigna dans une atmosphère de douce quiétude. Alphonse ne prononça pas un mot plus haut que l'autre et félicita même Rose pour sa cueillette. Tout en mangeant, Daniel se dit que ses dix ans conserveraient éternellement dans son souvenir le goût des morilles dont la saveur coulait en lui avec le moelleux du bonheur.

— En avril, ne te découvre pas d'un fil, répétait Julia, l'index levé, impérieux.

Elle n'avait pas tort. Il y eut un regain de froid qui dura plusieurs jours, entretenu par le vent du nord qui se mit à souffler en bourrasques. Dès lors, il devint très pénible de travailler aux champs, de labourer, butter, sarcler, et les pauvres mains de Daniel se couvrirent de crevasses. Heureusement, cela ne dura pas, et le retour du soleil coïncida avec une nouvelle qui illumina le Verdier et ses habitants. Daniel l'apprit de la bouche de Julia, un soir, en revenant de traire :

— Rose attend un enfant, lui dit-elle avec un air émerveillé.

Et, à Lisa qui les regardait avec ses yeux ronds sans comprendre cette gaieté si inhabituelle :

— Tu vas avoir un petit frère ou une petite sœur. Tu entends ? Tu es contente au moins ?

La petite ne manifestait aucune émotion, mais plutôt de la curiosité. Elle dévisageait Rose qui venait juste de rentrer du village où elle s'était rendue chez le médecin, et qui s'essuyait les yeux en murmurant :

— *Oh la yéou!* Pauvre monde! Si on m'avait dit! Et Alphonse qui ne se doute de rien. J'oserai jamais le lui dire.

— Je vais lui dire, moi, fit Julia. D'ailleurs ça ne va pas tarder parce que je l'entends qui arrive.

Le silence tomba. Daniel se réfugia près de la grand-mère et de Lisa, tandis que Rose, debout devant l'évier et tournée vers le mur, trempait la soupe avec une application exagérée.

La porte s'ouvrit brusquement et Alphonse entra. Comme à son habitude, il s'assit à table, se versa un verre de vin, puis il releva brusquement la tête avant de boire, surpris par le silence qui régnait dans la pièce.

— On a quelque chose à vous dire, fit Julia. Mais je vous préviens tout de suite : si vous devez crier, vous irez dehors.

Il haussa les épaules, but son verre de vin, lança :

— Que tant d'affaires! Vous faites bien des manières pour rien!

— Peut-être, dit Julia. En tout cas, Rose attend un enfant.

Alphonse demeura un moment immobile, comme frappé par la foudre, la tête légèrement enfoncée dans les épaules. On entendit une bûche gémir dans l'âtre, le chien bâiller, puis le silence retomba. Daniel osait à peine regarder dans la direction d'Alphonse de peur de provoquer sa colère. Rose s'était arrêtée de nettoyer les légumes et retenait sa respiration. Lisa, elle, tournait la tête de tous les côtés, dans l'attente d'un événement insolite.

Alphonse se redressa lentement. Tous les traits de son visage, d'ordinaire tendus, semblaient s'être relâchés.

Il ne souriait pas mais ses yeux brillaient.

— C'est vrai ? demanda-t-il d'une voix légère, méconnaissable.

— Dame ! Si c'est vrai ! fit Julia.

Mais Alphonse avait besoin d'entendre Rose. Il se leva, vint se placer derrière sa femme, la prit par les épaules, la força à se retourner :

— C'est bien vrai, Rose, ce qu'on me dit là ?

Celle-ci, redoutant toujours sa réaction, hocha la tête sans le regarder. Il la lâcha, revint s'asseoir sur le banc, murmura :

— Oh, nom de Dieu !

Puis, avec une sorte d'impatience dans la voix :

— Et depuis quand le sais-tu ?

— Depuis ce soir ; je reviens de chez le médecin.

— Il en est sûr ?

— Tout à fait sûr.

— Oh, nom de Dieu ! répéta Alphonse, abasourdi.

Et, brusquement inquiet :

— Ce sera un garçon, dis ?

— Ce sera ce que ce sera, intervint Julia.

Mais Alphonse parut ne pas avoir entendu. Il dévisageait Rose, les bras ballants, incapable de bouger, submergé par une émotion qui faisait maintenant scintiller ses yeux noirs. Il baissa la tête pour les cacher, puis, sans un mot, s'étant redressé brusquement, il sortit dans la nuit. Rose, qui n'avait pas compris, se précipita.

— Laisse, ma fille, dit Julia, laisse-le seul, il va revenir.

Il revint en effet cinq minutes plus tard et déclara « qu'il fallait arroser ça ». Il descendit à la cave chercher une bouteille de vin bouché, en versa un verre à chacun et, pendant toute la soirée, ne cessa de parler de la chambre qu'il faudrait aménager, de la maison à agrandir, du baptême auquel on inviterait tous les amis et surtout de l'enfant qui deviendrait l'héritier du Verdier. Aucune des deux femmes n'osa lui rappeler que ce pourrait être aussi une héritière, par peur de tempérer la joie qui le transfigurait.

— Tu comprends, expliqua Julia à Daniel quand il se trouva seul avec elle avant de se coucher, je crois qu'il a l'impression d'avoir un peu de chance pour la première fois de sa vie.

Elle ajouta, pensive, après un instant :

— Il se dit peut-être aussi que Lisa aura un frère pour l'aider.

— Un frère qui me remplacera, murmura Daniel.

— Peut-être, fit Julia en lui caressant les cheveux.

— Comme ça, elle n'aura plus besoin de moi.

Julia haussa les épaules et sourit.

— Que tu es sot! Tu sais bien qu'elle aura toujours besoin de toi.

Il n'insista pas et s'en fut se coucher, satisfait de s'endormir avec l'idée de sa vie éternellement confondue avec celle de Lisa.

Un après-midi de la semaine suivante, il fut chargé d'emmener le cheval chez Maurice et Adélaïde qu'il n'avait pas revus depuis la fin des veillées. Il s'y rendit vers cinq heures, heureux de conduire la charrette entre les futaies et les taillis qui bruissaient de l'activité fébrile des oiseaux occupés à bâtir leur nid. Face à lui, une aile de nuage achevait de se fondre dans le bleu du ciel. De temps en temps flottaient dans l'air couleur de source les parfums d'herbes et d'eau de la Dordogne en crue.

Il ne rencontra personne jusqu'au village, atteignit les premières maisons sans être sorti d'une rêverie d'où le tira, sur sa droite, derrière un bosquet de saules nains, le grincement de la chaîne d'un puits. Il s'engagea dans la ruelle, vit une main s'agiter sous un rideau, fut surpris par l'absence de bruits sur la place. Il n'aperçut la voiture verte qu'après le dernier tournant et, aussitôt, les deux soldats casqués dont il sut tout de suite qui ils étaient. Ce fut comme si en une seconde la guerre tant redoutée entrait en lui, le pétrifiait. Des mots lui vinrent à l'esprit, ceux de son père la veille de son départ : « Fuir, fuir, disait-il, et quoi qu'il arrive ne jamais se laisser approcher... » Le cheval s'était arrêté, raclait la route de son sabot droit. Il sembla à Daniel que le bruit de son cœur devait être audible de la place. « Voilà, se dit-il, c'est la guerre et ces soldats sont des Allemands. » Il savait qu'il devait faire demi-tour et cependant un poids pesait sur ses épaules, le rivait à la banquette, l'empêchait d'esquisser le moindre geste.

Le plus grand des soldats — celui qui portait des traces de sang sur sa joue gauche — avança dans sa direction, leva son arme en lui faisant signe d'avancer. Il fallait pourtant retourner sur ses pas, s'échapper, mais la peur de l'enfant anéantissait toute sa volonté. Il secoua à peine les rênes, et le cheval obéit en faisant quelques pas. « Fuir, fuir », répétait la voix près de ses oreilles, et il s'étonnait en même temps de sa propre inertie, de son consentement à ce qui se passait malgré lui.

— *Schnell!* cria le soldat à la joue rouge, tandis que l'autre courait vers l'attelage.

Daniel n'entendait rien, ne sentait rien, découvrait maintenant la place avec étonnement, comme si elle surgissait d'un monde rêvé ou imaginaire. Quand le soldat saisit la bride, le cheval secoua son encolure, provoquant une brusque traction des rênes qui ne suffit cependant pas à « réveiller » Daniel. Le soldat put sans peine mener l'attelage près d'une grille où il noua la bride.

— *Raus!* fit-il avec un geste du canon qui toucha le bras de l'enfant et le fit sursauter.

Il descendit, trébucha, faillit tomber, ses jambes se refusant à le porter. Le soldat le poussa vers des femmes et des enfants parmi lesquels il reconnut le grand Lacroix. Il lui sembla que tous les regards étaient dirigés sur lui, et surtout ceux des soldats alignés sur une colonne près du monument aux morts. Il aperçut les camions et les automitrailleuses garés de l'autre côté de la place. « C'est la guerre », se dit-il, et il pensa aussitôt qu'il allait mourir, sans doute même avant la nuit. Des idées folles se bousculèrent dans sa tête, d'où émergèrent les images de Lisa, de Rose et de Julia. Il devait les prévenir du danger. Il faillit s'élancer, mais des cris l'en dissuadèrent : là-bas, à l'angle de la rue, des soldats revenaient en encadrant Maurice le forgeron, Jeantou le coiffeur, le maître d'école, et Armand Delpech le maire aux tempes grises. Au milieu des femmes qui les suivaient, Daniel reconnut Adélaïde, échevelée, hagarde, qui s'efforçait de se frayer un passage entre les soldats. Elle reçut un coup de crosse et tomba en poussant un cri. Daniel courut vers elle sans réfléchir, s'agenouilla, essaya de la relever. Un peu de sang coulait sur son front, mais cela ne paraissait pas très grave. A l'instant où elle le reconnut, une vive frayeur s'alluma dans ses yeux.

— Laisse-moi, malheureux, chuchota-t-elle.

Et, comme il ne bougeait pas :

— Va te cacher, mon petit, va-t'en vite !

Elle puisa tout au fond d'elle la force de se lever, y parvint après plusieurs secondes d'effort, le poussa vers les femmes, elle-même s'éloignant dans la direction opposée. Daniel, interdit, demeura immobile, partagé entre le désir de l'aider à sauver Maurice et son immense peur, mais aussi avec, ancré en lui, le regard d'Adélaïde qui venait de le guérir, et pour toujours, de la blessure ouverte le jour où il lui avait avoué qui il était...

Les soldats forcèrent les prisonniers à monter dans un camion. Marcel, le boucher, se précipita vers Adélaïde pour l'empêcher d'approcher. Daniel les rejoignit et tenta lui aussi de la retenir. D'autres soldats apparurent sur la place, malmenant un garçon qu'il ne connaissait pas.

Devant eux marchait l'homme au chapeau qui, dans l'école, était venu arrêter le petit Albert.

— Viens ! dit Daniel à Adélaïde, il ne faut pas rester là.

Mais celle-ci, comme folle, n'entendait pas. Elle criait et tentait de se dégager avec sa force peu commune de femme habituée à manier le marteau. Heureusement, le boulanger vint leur prêter main-forte tandis que d'autres, plus loin, essayaient d'arrêter celles dont les maris se trouvaient maintenant dans le camion.

Un coup de feu retentit sur la place, derrière le monument aux morts. Aussitôt le boucher lâcha le bras d'Adélaïde et s'élança. Il n'eut pas le temps d'aller loin : intercepté par les soldats, il fut contraint lui aussi de monter dans le camion. Comme le boulanger, de stupeur, s'immobilisait, Daniel se retrouva seul à tenir Adélaïde. Des cris lancés en allemand furent très vite couverts par le bruit des moteurs. Les camions démarrèrent. Au moment où ils commencèrent à rouler, Adélaïde traîna Daniel sur quatre ou cinq mètres et puis, tout à coup, comme si cet ultime effort avait brûlé sa dernière énergie, elle s'arrêta, le souffle court, une main plaquée sur sa poitrine, la bouche grande ouverte. Bientôt le dernier camion disparut à l'angle de l'église. Une femme apporta une chaise et de l'eau. Elle fit asseoir Adélaïde, humecta son front et ses tempes avec une serviette. Après avoir vu partir les camions, les paysans des alentours accouraient maintenant sur la place. Des femmes pleuraient dans leur mouchoir, des hommes s'épongeaient le visage, allaient et venaient, ne sachant que faire, l'air affolé. Daniel avait saisi la main d'Adélaïde et ne la quittait pas.

— Emmenez-la chez elle, fit une voix, au moins elle sera à l'ombre.

Daniel pensa soudain à son cheval et à sa charrette. Il courut de l'autre côté du monument aux morts, les aperçut et, rassuré, s'en fut calmer le cheval en lui caressant le front et en lui parlant doucement, comme le lui avait appris Baptiste. Il revint ensuite vers Adélaïde qui, soutenue par deux hommes, avançait lentement en direction de sa maison où, par terre, devant la porte, un marteau à l'abandon témoignait du drame qu'elle venait de vivre.

Daniel était rentré au Verdier en compagnie d'Alphonse qui avait lui aussi entendu les coups de fusil et aperçu les camions. Il n'avait pas prononcé le moindre mot sur la charrette, car la peur demeurait trop présente en lui. Tout ce qu'il avait pressenti de la guerre s'était réalisé en moins d'une heure. Encore sous le choc, il ne pouvait se soustraire à l'image d'Adélaïde sur la place, et ses cris retentissaient encore à ses oreilles, tandis que, assis à table, il écoutait Alphonse raconter aux femmes ce qui s'était passé.

— *Oh la yéou!* gémissait Rose.

— Misère de misère, soupirait Julia.

On donna un peu d'eau de coing à Daniel pour qu'il puisse raconter lui aussi. Il fit lentement le récit du drame, revivant seconde par seconde son arrivée au village, l'apparition des soldats et de leurs prisonniers, le désespoir d'Adélaïde et le départ des camions. Dès qu'il eut terminé, Rose s'en alla à Florac inviter Adélaïde à passer la soirée au Verdier. Pendant ce temps Alphonse et Daniel s'en furent traire les vaches, puisque, aussi bien, la vie n'allait pas s'arrêter comme cela, et que le travail ne pouvait attendre.

Les deux femmes revinrent trois quarts d'heure plus tard, et le repas commença, entrecoupé de silences et de soupirs. La pauvre Adélaïde demeurait prostrée, sans larmes, et sans doute n'entendait-elle même pas les mots d'amitié prononcés par Julia pour la réconforter. Daniel comprenait mal pourquoi les cinq hommes avaient été arrêtés et s'étonnait qu'il n'en fût pas question. Il se demandait où les Allemands les avaient emmenés et ce qu'il allait advenir d'eux. Il n'osait cependant pas interroger Julia, se contentait de deviner à des bribes de phrases prononcées en patois les véritables raisons de leur arrestation. Il était toutefois rassuré par le fait que les soldats n'aient pas reconnu en lui un petit juif, et il se disait avec une certaine satisfaction que, peut-être, après tout, il ressemblait maintenant à tous les enfants du village.

Ce fut donc sans aucune appréhension qu'il rendit visite à Adélaïde le lendemain et les jours suivants. Il prit même l'habitude de courir chez elle chaque fois qu'Alphonse lui laissait une heure de répit. Malgré son chagrin, la pauvre femme s'était remise au travail, mais ses yeux semblaient désormais ouverts sur un monde de violence et d'horreur. Ses clients ne cessaient de lui parler, de l'encourager, tentaient de plaisanter. Elle hochait la tête en tapant sur les clous, remerciait, mais on sentait bien qu'elle était ailleurs, sans doute près de son mari dont elle espérait des nouvelles. Le village lui-même changeait : un profond silence régnait maintenant sur la place, comme s'il avait perdu son âme en perdant son forgeron et son coiffeur. La guerre, dont il avait été si longtemps préservé, y était installée définitivement : les habitants se méfiaient à présent les uns des autres, car chacun suspectait son voisin d'avoir dénoncé ceux qui avaient été arrêtés. Quand Daniel en faisait la remarque à Adélaïde, elle soupirait :

— Si j'avais su... si j'avais su...

— Si tu avais su quoi, Adélaïde ?

Elle ne répondait pas, son visage se fermait et son regard se voilait. S'il manifestait l'intention de repartir, elle cherchait toujours à le retenir en disant :

— Tu t'en vas déjà, *pitiou* ?

— Il faut que j'aille traire.

Malheureuse, elle demandait :

— Tu reviendras demain ?

— J'essayerai, je te le promets.

Et il repartait à regret, imperméable à la tiédeur de l'air, à l'éclat des fossés tapissés de pervenches et de pâquerettes, au vol des alouettes qui, de pâture en pâture, s'abattaient sur les premiers insectes dans un crépitement d'ailes.

Un jour, pourtant, il ne put se rendre au village, car il fallait achever un travail dans les champs. Cet après-midi-là, alors qu'il s'en allait avec Alphonse, Lisa le tira par la manche en faisant :

— To... To...

Il lui expliqua qu'il ne pouvait pas la suivre, mais elle revint plusieurs fois à la charge et Rose dut la prendre par la main. Il avait été en effet convenu qu'elle rejoindrait les hommes avec Lisa un peu plus tard, après avoir fait la vaisselle.

Ce n'était pas la première fois que Daniel partait seul avec Alphonse pour sarcler les semis et il n'en concevait plus la moindre crainte. D'ailleurs, depuis la nouvelle de la grossesse de

Rose, Alphonse n'allait plus au café et, même s'il marquait toujours de la distance vis-à-vis de l'enfant, il ne se montrait plus menaçant. Que ce fût en arrachant les chardons dans les champs de blé ou en sarclant les carrés de légumes, il parlait peu. Après avoir donné à Daniel de brèves indications, il progressait dans les rangées d'une allure régulière et sûre, ne se redressait que pour admirer dans les lointains les verts délicats qui s'allumaient çà et là, léchés par des langues de brume.

Essoufflée par sa marche, Rose arriva vers trois heures en tirant Lisa par la main. Aussitôt celle-ci s'approcha de Daniel, répéta d'un air suppliant :

— To... To...

— Va chercher des fleurs, lui dit Rose, et fais-moi donc un beau bouquet.

Mais la petite se mit à trépigner et à pleurer.

— Laisse-la, intervint Alphonse, elle se calmera toute seule.

Aidés par Rose, Daniel et Alphonse reprirent leur travail comme si de rien n'était. Restée seule au milieu du champ, Lisa, effectivement, finit par s'apaiser et partit vers l'ombre de la haie. Un quart d'heure passa, durant lequel ils travaillèrent sans s'occuper d'elle. Ce fut Daniel, qui, se redressant brusquement, s'aperçut de son absence et la signala à Rose.

— Elle doit s'amuser de l'autre côté, dit celle-ci.

Et elle appela :

— Lisa ! Lisa !

— T'en occupe pas, dit Alphonse, elle va revenir.

Ils se remirent à l'ouvrage pendant une dizaine de minutes encore, puis, intrigués par son absence prolongée, Rose et Daniel passèrent de l'autre côté de la haie. Ils la longèrent jusqu'à son extrémité, continuèrent en direction de la pâture sans apercevoir Lisa. Rose l'appela, puis Daniel, mais sans succès. Alphonse les rejoignit, appela à son tour, mais la petite demeura introuvable.

— Elle a dû rentrer, dit Rose.

Et, à Daniel :

— Tu devrais aller voir.

Pas fâché de se dégourdir les jambes, celui-ci courut vers la ferme en inspectant du regard les champs et les prés. Au Verdier, Julia n'avait pas vu Lisa. Daniel la chercha dans la grange, dans l'étable, au grenier, mais il ne la trouva nulle part. Informée, Julia ne parut pas vraiment inquiète :

— Elle doit dormir quelque part, dit-elle ; elle reviendra bien toute seule. Tu peux repartir, va.

L'enfant revint sans se presser vers le champ de pommes de terre où Alphonse et Rose avaient repris le travail. En écoutant Daniel, Rose soupira :

— *Oh la yéou!* Elle se sera perdue.

— Mais non, dit Alphonse, elle est peut-être au village chez Adélaïde, ou alors chez Louise.

— Il faut aller voir, dit Rose au bord des larmes.

— Attends un peu, quand même, dit Alphonse; on aura terminé dans dix minutes. Mais, si tu veux, tu peux partir devant.

Rose acquiesça et s'en fut de son pas fatigué de femme enceinte, légèrement penchée en arrière. Alphonse et Daniel eurent tôt fait d'achever le travail, si bien que l'enfant, en courant, arriva en même temps que Rose au Verdier. Julia n'avait toujours pas revu Lisa et commençait à s'inquiéter. On attendit Alphonse, qui décida, sitôt rentré, de se rendre au village. Daniel, lui, fut chargé d'aller au Pradel et à Grandval. Il partit à toutes jambes dans le soir tombant.

Après la fatigue de la journée, la fraîcheur de la brise nocturne lui fit du bien. Il ne prit pourtant pas le temps de goûter cet air de liberté qui flottait sur les pâtures et les chemins, car l'inquiétude le poussait à courir. A Grandval, Louise rentrait du pré avec ses vaches, précédant de peu Gontran qu'on apercevait là-bas, près du verger, menant les bœufs. Elle n'avait pas vu Lisa et elle voulut savoir ce qui se passait. L'enfant dut l'expliquer, ce qui le mit en retard pour se rendre au Pradel. où il arriva à la nuit tombée. Là, une nouvelle déception l'attendait : pas plus que Louise, Marthe n'avait vu Lisa. Il fallut de nouveau expliquer, promettre de donner des nouvelles et repartir sur les chemins où erraient des ombres menaçantes.

A son arrivée au Verdier, ce fut la consternation. Rose pleurait en mettant le couvert, tandis que Julia se plaignait de n'être utile à rien. Personne n'eut la force de manger. Au lieu de s'asseoir, Alphonse décida de repartir avec une lampe. Dès qu'il eut disparu, Daniel, incapable d'attendre, fit de même malgré les protestations des deux femmes.

Sur la petite route, ne sachant quelle direction prendre, il écouta un long moment le murmure des arbres agités par le vent, puis il se dirigea machinalement dans leur direction. En s'approchant, il entendit la rivière et, aussitôt, sans qu'il sût pourquoi, il lui sembla être sur la bonne voie. Il traversa une haie, franchit un fossé, s'engagea sur le chemin de rive, appela :

— Lisa ! Lisa !

Personne ne lui répondit, excepté le halètement sourd de la rivière en crue et, à l'instant où il se remettait en route, le cri d'un grand-duc chassant dans la nuit. Il longea la rive en appelant à intervalles réguliers, dépassa le pré où il gardait les vaches, puis un champ de blé bordé

302

par de grandes fougères. Un peu plus loin, un bosquet de frênes surgit de la nuit. Là, enroulée autour du tronc le plus gros, il devina la chaîne d'une barque. Et tout à coup le « To... To... » de Lisa lui apparut dans toute sa signification : c'était d'un bateau qu'elle avait voulu lui parler. Il tira sur la chaîne et poussa un soupir de soulagement : éclairée par la lune, la tête reposant sur son coude replié, ignorante de l'angoisse des siens, Lisa dormait. Depuis combien de temps l'attendait-elle ainsi ? Il s'en voulut de ne pas l'avoir écoutée, de l'avoir laissée seule dans la nuit alors qu'elle aurait pu tomber à l'eau et se noyer. Il la réveilla doucement et, dès qu'elle le reconnut, elle voulut lui faire partager sa joie d'avoir trouvé le bateau qu'ils avaient vainement cherché à construire. Aussi lui fallut-il plus de dix minutes pour la persuader de se lever. Elle ne comprenait manifestement pas pourquoi il ne se réjouissait pas avec elle de sa découverte. Il dut inventer les mots qu'elle attendait, la prendre par la main et la tirer vers lui.

Une fois sur la rive, il lui fit lever la tête, lui désigna les étoiles.

— Regarde ! dit-il, là c'est le Chariot, et à côté, juste au-dessus, le Lion avec sa belle crinière. Là-bas, à gauche, il y a les Gémeaux et le grand Chien qui garde le pays des rivières, celui où on ira bientôt. Plus bas, c'est le Taureau qui mange dans les hautes herbes, à l'endroit où on construira la cabane. Tu les vois?

Subjuguée, Lisa consentit à le suivre en se laissant traîner.

— Ce n'était pas un vrai bateau, Lisa, reprit-il, mais une simple barque. On ne peut pas partir avec ça. Non, c'est un véritable bateau qu'il nous faut, avec des voiles larges comme les prés, et capable de nous conduire en Amérique. Je t'ai jamais parlé de l'Amérique? C'est là que nous irons. Il y a des villes dont on ne voit pas la fin, de grands déserts jaunes et des forêts où les sapins ont le bleu de la mer. Là-bas, les montagnes touchent le ciel, on est près des chemins, on ne peut pas se perdre.

Il parlait, il parlait, et Lisa avançait à petits pas, poussant des cris de joie. Après plusieurs haltes, maints pays visités, des dizaines d'étoiles rencontrées, ils arrivèrent enfin au Verdier. Rose se précipita et serra longtemps Lisa dans ses bras. Daniel n'osa pas dire où il l'avait trouvée, car Alphonse devait se souvenir du bateau du grenier. Il expliqua qu'il l'avait découverte endormie au bord d'une haie, pas loin de la rivière. Et, tandis que Julia la grondait, Lisa, éblouie, loin d'elle, loin du Verdier, parcourait par la pensée tous ces pays merveilleux où elle n'irait jamais.

Les premiers jours de mai feutrèrent les taillis et les prés d'un vert éclatant. Des rives de la Dordogne montèrent les cris querelleurs des gibiers d'eau et les nichées de perdrix s'égayèrent dans les blés. Fortifiés par les pluies de l'hiver, les foins s'annonçaient beaux. On le devinait à l'épaisseur des pâtures où les vaches, matin et soir, se repaissaient d'herbe nouvelle.

Il y eut pourtant trois jours de pluie vers le milieu du mois, une pluie tiède et continue qui contraignit les enfants à passer tout un dimanche à l'intérieur. Ce matin-là, Lisa avait égaré un domino et Rose l'avait cherché en vain. Désirant faire une partie avec Julia, Daniel prit le relais au début de l'après-midi. Il commença par fouiller dans la chambre de Julia où Lisa avait joué le matin. Il ouvrit un à un les tiroirs de l'armoire, trouva dans celui du bas toutes sortes de choses : des épingles, des bouts d'élastique, une blague à tabac, des boîtes de chaussures, un chausse-pied, des bouchons de liège et, pour finir, tout au fond, une enveloppe qui l'intrigua. Elle était adressée à « Julia Lachaume — Le Verdier par Florac (Lot) ». Comme l'écriture ne lui paraissait pas inconnue, il l'ouvrit et en sortit une feuille pliée en quatre. C'était Baptiste qui, en 1928, avait écrit à Julia, de Cahors. L'enfant eut à peine le temps de lire quelques lignes qu'il lui sembla que son cœur s'arrêtait. Cette écriture, malgré les tavelures sur le papier, malgré la mauvaise qualité de l'encre, il la reconnaissait : c'était celle de la lettre trouvée dans les sabots à Noël... D'abord il en resta stupéfait, le cœur fou, les jambes tremblantes, puis l'évidence lui apparut dans toute sa cruauté : il n'y avait jamais eu de lettre de ses parents ; jamais, non plus, de lettre d'un de leurs amis ; seul Baptiste avait écrit ; Baptiste aujourd'hui disparu qui avait été capable d'une telle trahison. Était-ce possible ? Comment avait-il pu le tromper à ce point ?

Plein d'amertume, Daniel referma le tiroir comme s'il le brûlait, sortit de la chambre et, sans un mot pour Rose et pour Julia, s'enfuit après avoir claqué la porte. Il se réfugia dans le grenier où subsistaient encore quelques débris du bateau et là, sans une larme, écrasé par la douleur, il se roula en boule et ne bougea plus.

Une heure passa, puis deux, tandis que l'obsédante pensée de la trahison de Baptiste et celle, plus cruelle encore, de ses parents en danger, virevoltaient dans sa tête. Il entendait sur le toit le murmure de la pluie et, par intermittence, les aboiements des chiens, mais il se sentait loin, très loin du Verdier et de ses habitants. Quand Rose appela dans la cour, il ne répondit pas. Un peu plus tard, ce fut Alphonse. L'obscurité envahit peu à peu le grenier. Il n'entendit plus rien, finit par s'endormir.

Un bruit le réveilla. Il se dressa, aperçut Rose et Alphonse dans la lumière d'une lampe.

— Enfin ! dit Rose, tu veux nous rendre fous ?

— Laissez-moi, dit-il, j'ai pas faim et je veux dormir ici.

— Mais qu'est-ce qui se passe ? fit Alphonse.

— Rien. Laissez-moi.

Il entendit des murmures dans l'ombre, puis Alphonse redescendit. Demeurée seule, Rose s'agenouilla, tenta de lui caresser les cheveux, mais il la repoussa brusquement.

— Oh ! la la ! fit-elle, dis-moi au moins si tu es malade ?

— Laisse-moi ! répéta-t-il, je ne veux plus vous voir, ni toi, ni Julia ni personne. Va-t'en !

Rose resta un instant immobile, puis déclara après un long soupir :

— Tu vas avoir froid.

— Non, je suis très bien.

Elle se leva péniblement et il l'entendit descendre l'échelle. Sitôt après, l'obscurité régna de nouveau dans le grenier. Il ne bougea pas pendant plus d'une heure, puis des bruits insolites, sans doute des rats, le tirèrent de sa torpeur. Il préféra se rendre dans l'étable où l'odeur des vaches et du foin le réconforta. S'allongeant sur son ancien lit de paille, il put enfin trouver le sommeil.

Il s'éveilla bien avant le jour, hésita sur la conduite à tenir. S'enfuir ? Mais où ? Et que deviendrait Lisa ? Il demeura couché, entendit bientôt Alphonse qui commençait à traire, puis il reconnut le pas de Rose. Celle-ci vint chercher de la paille pour la litière et ne tarda pas à le découvrir.

— Julia te demande, dit-elle, elle voudrait te parler. Après, tu feras ce que tu voudras, mais il faut d'abord l'écouter.

Une nuit de sommeil avait un peu atténué la douleur de la veille. Le visage implorant de Rose le toucha. Il se leva, traversa la cour et entra dans la maison, demeura immobile sur le seuil, muré dans le silence.

— Approche, mon petit, dit Julia.

Et, comme il semblait ne pas entendre :

— Je sais ce que tu as trouvé, j'ai compris tout de suite, hier au soir. C'est normal que tu aies de la peine, mais il faut que tu saches que Baptiste a longtemps hésité avant d'écrire cette lettre. Allez, viens t'asseoir près de moi, je vais te raconter tout ça.

La curiosité, mais aussi le ton sincère de Julia le décidèrent : il s'assit face à elle, tête baissée, encore hostile.

— C'est lui qui en a eu l'idée, reprit Julia, mais c'est moi qui l'ai poussé. Tu comprends, je me suis dit que, de toute façon, comme ni toi ni moi n'y pouvions rien, il valait mieux que tu vives heureux le temps qui nous sépare de leur retour.

Elle se tut, soupira, ajouta avec conviction :

— Parce qu'ils reviendront, tu sais, j'en suis sûre comme l'était Baptiste, et je suis sûre aussi qu'on ne tardera plus à recevoir des nouvelles.

Daniel ne disait toujours rien, ne savait quelle conduite adopter. Des idées noires se bousculaient dans sa tête, heurtaient sa raison. Au milieu d'elles s'affirmait celle d'un danger certain, d'une mort possible des siens.

— Et s'ils étaient morts ? fit-il soudain, avec une sorte de rage, comme pour se venger de Julia.

— Ne dis pas de bêtise, va ; ils reviendront bientôt, je te le promets.

Il avait tellement besoin d'être rassuré qu'il saisit la main qu'elle lui tendait.

— Si tu savais comme il était content, dit-elle ; il m'a même parlé de cette lettre le matin où il est mort, juste avant de s'en aller.

Daniel ne répondit pas, se laissa aller contre la grand-mère, mais ne put s'empêcher de murmurer :

— J'ai peur, Julia.

— Oh ! bonté divine ! fit-elle, puisque je te dis, moi, que bientôt, un soir, on entendra une charrette dans la cour et ils seront là. On n'aura même pas le temps de mettre les petits plats dans les grands !

— Tu crois ? souffla-t-il.

Julia lui prit le menton, le força à lever la tête, planta son regard dans le sien.

— Oui, dit-elle, je le crois si fort que je me languis de les voir, surtout ton papa que je ne connais pas.

Il ferma les yeux, soupira. L'assurance de Julia, à chaque fois qu'il était question de ses parents, lui redonnait confiance. Il fit un effort sur lui-même, se leva.

— Je vais aider Alphonse, dit-il.

— Va, mon petit, dit-elle, je vais t'attendre pour déjeuner.

Ainsi se termina l'incident. Mais s'il ne garda rancune ni à Julia ni à Baptiste, l'attente des lettres continua de le hanter, et cela malgré les longues heures passées au travail dans les champs, où même Lisa ne parvenait pas à le distraire. Il ne trouvait d'ailleurs plus ces mots qui avaient le pouvoir d'émerveiller la petite et qu'elle mendiait en désignant la rivière ou, le soir, les étoiles allumées tout là-haut. Quand il partait avec elle chaque matin après la traite, vers le pré parsemé de pâquerettes et de boutons-d'or, d'anciennes sensations de bien-être l'envahissaient. Il cherchait les mousserons, les donnait à Lisa qui portait le panier, laissait les vaches gambader dans l'herbe fraîche. Mais cela ne suffisait plus à occuper son esprit, à lui faire oublier l'absence de lettres, son angoisse obsédante.

Julia, qui veillait, eut l'idée de lui proposer de s'occuper des ruches qui sortaient de l'hibernation. D'abord réticent, il accepta de s'y rendre après le repas de midi, muni de l'appareillage de Baptiste, des gants, du masque et des élastiques de protection. Dès le premier jour, il fut passionné en se rendant compte qu'il n'avait rien oublié de ce que lui avait enseigné le grand-père. Il se servit de l'enfumoir pour se protéger des piqûres, rajouta des hausses pour éviter l'essaimage, parvint même à transvaser la moitié des abeilles et leur reine d'une ruche trop pleine dans une ruche vide. Baptiste lui avait expliqué qu'il fallait bien prendre soin de ces nouvelles colonies, car elles ne possédaient pas de réserves. Il s'en occupa donc tout particulièrement et, à sa grande satisfaction, réussit à les sauver. Un jour, fier de lui, il assura à Julia qu'il pourrait récolter le miel vers le milieu du mois d'août. Celle-ci, surprise, demanda :

— Tu es sûr ? Tu ne veux pas qu'Alphonse t'aide ?

— Je connais rien du tout à ces bestioles, moi, se défendit Alphonse, et d'ailleurs elles m'en veulent.

Daniel n'eut pas le cœur de répondre, comme le lui avait appris Baptiste, que l'odeur du vin les rendait folles. Il se contenta d'affirmer qu'il pourrait y arriver tout seul.

Pendant ces travaux de patience, Lisa s'asseyait à une trentaine de mètres des ruches, le regardait sans bouger. Un jour, pourtant, elle s'approcha sans bruit et, avant qu'il n'ait le temps d'intervenir, des abeilles se posèrent sur les bras et le visage de la petite. Il n'eut même pas besoin de se servir de l'enfumoir pour leur faire regagner leur ruche. Sans piquer Lisa, elles se replièrent vers leur demeure, aussitôt remplacées par d'autres qui, elles aussi, ne manifestèrent à son égard aucune agressivité.

Ainsi, aidé par Lisa, il vint à bout du nettoyage des alvéoles, de la cire, de l'aménagement des hausses, et il passa des heures à observer les ouvrières, à leur parler en usant des mots employés par Baptiste. Cette passion l'emmena vers ces jours de fin mai où les premiers orages gonflent encore les rivières, mais où, déjà, l'été, surtout le soir, s'insinue dans l'air tiède. Il se sentait proche de Baptiste, ne lui en voulait plus. Parfois même il se demandait si sa vie n'allait pas ressembler à la sienne, près des abeilles, dans les champs d'orge, de maïs et de blé, au milieu de cette vallée dont il se persuadait par moments qu'il ne la quitterait plus jamais.

Un matin, vers dix heures, alors qu'il travaillait avec Alphonse dans un champ de légumes, le manche de sa pioche cassa net.

— Il y en a un neuf dans la remise, derrière la charrette, dit Alphonse ; va donc le chercher.

Tout heureux de marcher un peu, il partit lentement à travers champs, en profita même pour faire un détour par les ruches. Le mois de mai s'achevait. Au faîte de leur verdure, les arbres et les fleurs projetaient dans l'air et le silence l'éclat de leur rosée. Chemin faisant, Daniel pensa à Lisa que Rose avait emmenée au village, puis à Julia seule dans la grande maison. Il se demanda vaguement ce qu'il serait devenu sans elles et si, ailleurs, il aurait supporté l'absence des siens. En arrivant aux ruches, il s'assit sous le noisetier, observa un moment la danse des abeilles qui indiquent ainsi à leurs congénères les endroits où le pollen est riche et parfumé. Bientôt son esprit s'évada, il lui sembla voir Baptiste devant les ruches, ses gestes lents et appliqués, sa ceinture de flanelle maintenant à la taille le pantalon de toile bleue, sa chemise à carreaux, ses sabots toujours propres et son chapeau de paille. Et, comme à chaque fois qu'il pensait à Baptiste, ses pensées l'entraînèrent vers la lettre de Noël et vers ses parents.

Se levant soudain, il prit le chemin du Verdier, courut pour rattraper le temps perdu. Il aperçut de loin le facteur sur le chemin, sans pour autant savoir s'il était passé ou non à la ferme. Cependant, son cœur battit plus vite. Il se remit à courir, pénétra dans la cour déserte du Verdier, décida d'aller boire avant de repartir. Il ouvrit la porte brusquement, demeura figé sur le seuil. En l'apercevant, Julia avait eu un sursaut et, fébrilement, avait enfoui quelque chose dans la poche de son tablier. Daniel se sentit très mal. Il faillit repartir, tirer la porte sur la peur glacée qui avait fondu sur ses épaules.

— Qu'est-ce qu'il y a, mon petit ? fit la grand-mère.

— Rien. Je suis venu chercher un manche de pioche ; le mien s'est cassé.

Il ajouta, le regard fixé sur la main droite de Julia qui ne quittait pas la poche noire :

— Et puis j'ai soif.

— Bois, mon petit, dit Julia, bois vite, que tu dois avoir chaud.

Sa voix tremblait. Le regard de Daniel remonta vers le visage de la grand-mère où, au bord des cils, une larme restait suspendue. Il eut soudain très froid, ne se sentit pas la force de poser la question qui lui brûlait les lèvres, s'approcha de l'évier, fit couler l'eau de la couade, but un verre sans se retourner, puis un autre. Il s'essuya les lèvres, eut comme un vertige, hésita à revenir vers la porte, tant cet espace lui paraissait maintenant porteur des pires menaces.

— Rose ne va pas tarder, dit Julia, elle vous rejoindra avec la petite.

Sa voix avait retrouvé un peu d'assurance. Il se retourna, dévisagea la grand-mère qui esquissa un sourire, et il se dit qu'il ne lui avait jamais vu un tel air de détresse.

314

— Tu es fatigué ? demanda-t-elle encore.

Il remarqua que sa voix, de nouveau, se brisait.

— Non, dit-il, ça va.

Et tout à coup, il n'eut plus qu'une idée, celle de sortir de cette pièce pour abolir ces quelques minutes où il avait eu si peur, oublier Julia et son regard noyé.

— N'oublie pas ton chapeau, dit-elle.

Il sortit, resta un bref instant adossé à la porte. Au milieu de la cour, un éblouissement faillit le faire tomber. Il réussit cependant à gagner la grange, s'approcha de la Blanche, appuya son front contre le flanc chaud. Là, malgré ses yeux clos, le tablier noir de Julia ne disparut pas, au contraire. Qu'avait-elle caché ? Pourquoi cette frayeur dans ses yeux ? La peur demeurait tapie en lui, palpitait comme une plaie que la respiration avive. Il eut envie de vomir, alla s'allonger dans la paille, se coucha sur le ventre.

Quelques minutes plus tard, la charrette conduite par Rose entra dans la cour. Il se leva, épia Rose et Lisa un moment, attendit qu'elles entrent dans la maison, puis il s'approcha sans bruit. Il lui fallut peu de temps pour comprendre que Julia pleurait en répondant à Rose qui la questionnait. Des mots entrèrent en lui avec violence, creusèrent une plaie sanglante :

— Une lettre de son oncle... Il écrit que ses parents sont morts il y a plus de six mois... Les

Allemands les ont trouvés et, comme ils cherchaient à s'échapper, ils ont tiré.

Rose eut un gémissement et tomba. Daniel l'entendit s'écrouler sur le plancher en même temps que le cri de Julia. Pourtant il n'entra pas. Il étouffait. Une grande cloche s'était mise à sonner dans sa tête. Pour échapper au bruit et à la douleur, il courut droit devant lui. Surtout ne pas s'arrêter. Courir, courir pour échapper au tablier noir, au monstre hideux qui le poursuivait. Il courait bouche ouverte, tête levée vers les hirondelles qui décrivaient leurs courbes souples dans le ciel vert. De grandes vapeurs d'herbe se levaient sous ses pieds par bouffées et lui rendaient la respiration difficile. Il courait, les dents serrées, la tête douloureuse des mots qui, dans leur ronde bruyante, cognaient contre ses tempes : « Ils sont morts, ils sont morts. » Une sorte de poignard entra dans son côté droit. Il traversa la pâture sans même s'en rendre compte, arriva près de la rivière qu'il longea sur une centaine de mètres, courant toujours. Un peu plus loin, il prit sur sa gauche un sentier de terre qui le mena tout droit vers la berge. Il enleva ses sabots et, nu-pieds, entra dans l'eau. Un épervier s'envola de la cime des trembles, plana un moment avant de s'abattre sur les arbres de la rive opposée. Daniel avança, glissa sur les galets couverts de mousse, s'arrêta, repartit. L'eau lui parut presque tiède. Devant lui, à vingt mètres, un violent courant formait des tourbillons où s'accumulait une écume blanche. Daniel ferma les yeux, avança encore, eut très vite de l'eau jusqu'aux genoux, puis jusqu'aux cuisses. « Combien de temps faudra-t-il ? » se demanda-t-il vaguement.

Une voix appela dans son dos. Il rouvrit les yeux, se retourna. Là-bas, sur la berge, ses sabots à la main, Lisa criait. Il fut d'abord tenté d'avancer plus avant, mais les cris de la petite redoublèrent d'intensité. De nouveau il se retourna, fit un mouvement brusque, glissa, tomba, suffoqua, se releva un peu plus loin. Lisa, immobile, l'appelait toujours.

— Va-t'en ! cria-t-il, va-t'en !

Lisa parut ne pas l'entendre. Au contraire, elle entra dans l'eau.

— Ils sont morts ! cria-t-il encore, ils sont morts, Lisa !

Et, une nouvelle fois :

— Va-t'en ! Rentre à la maison ! Ils sont morts, je te dis !

Il lui sembla qu'elle souriait, croyant peut-être à un jeu. Alors il se baissa, saisit deux petits galets, se redressa et les lança vers la fillette qui, après s'être tue, se remit à crier et à avancer.

— Va-t'en ! fit-il de nouveau, mais plus bas, comme dans une plainte.

Il lui lança d'autres galets, ce qui l'arrêta un instant. Cependant, dès qu'il cessa, elle reprit sa progression. Il se dit que s'il allait plus loin, elle aurait peur et renoncerait à le suivre. Moins de cinq mètres devant lui, le courant bouillonnait. Il lui lança le dernier galet qui lui restait. Il l'atteignit à la hanche, lui arrachant un gémissement. Elle ouvrit de grands yeux étonnés mais recommença à avancer.

— Non ! fit-il en agitant les bras.

Cinq mètres les séparaient seulement. Comme elle était plus petite que lui, l'eau arrivait au-dessus de son ventre. Il lui tourna le dos, fit deux pas vers le courant, entendit un grand cri, puis ce fut le silence. Quand il se retourna, il ne la vit plus. Il se précipita, l'aperçut qui essayait de reprendre pied un peu en aval, parvint à l'atteindre après quelques secondes d'effort. Elle s'agrippa à lui, le serra dans ses bras, re-trouvant sa voix pour hurler. Il fit alors un brusque effort pour se rétablir. Croyant qu'il cherchait à se dégager, elle eut un vif mouve-ment des jambes qui leur fit perdre l'équilibre. Ils dérivèrent un instant, juste le temps d'être happés par le courant. Il sembla à Daniel entendre des cris sur la rive. Quelqu'un, sans doute, les avait vus. Il se mit à lutter, mais elle le gênait en s'accrochant à lui de toutes ses forces. Il tapa violemment du pied pour remon-ter. Lisa glissa, mais, dans un sursaut, parvint à affirmer sa prise sur ses cuisses. Privé d'appuis, il battit l'eau, essaya de crier, lutta encore un moment, puis, à bout de forces, se laissa emporter. A l'instant où la douleur fit exploser en lui des étoiles de toutes les couleurs, ses bras se nouèrent autour des épaules de Lisa qui, il en était sûr maintenant, avait décidé de parcourir avec lui les chemins en direction du Grand Chariot où l'attendaient les siens.

Décembre 1985-Novembre 1986.

Imprimé en Espagne par
Liberdúplex
à Sant Llorenç d'Hortons (Barcelone)
en mai 2017

POCKET – 12, avenue d'Italie – 75627 Paris Cedex 13

N° d'impression : 59640
Dépôt légal : novembre 2002
Suite du premier tirage : mai 2017
S25655/03